PICASSO

MUSEO PICASSO DE BARCELONA

Reportaje fotográfico, complementado
con biografía del pintor

Texto: XAVIER COSTA CLAVELL

Fotografías, diagramación y reproducción, enteramente concebidos y realizados por los equipos técnicos de EDITORIAL ESCUDO DE ORO, S.A.

7.ª Edición

I.S.B.N. 84-378-0924-X

Dep. Legal B. 3351-1996

Editorial Escudo de Oro, S. A.

La corrida *y seis estudios de palomas, obras realizadas por Picasso el año 1890 en Málaga. (20,2 × 13,1 cm). Museo Picasso, Barcelona.*

UN GENIO LLAMADO PICASSO

Antes de aparecer Picasso se hacía una pintura. Tras la revolucionaria aparición del genial malagueño en el mundo de la plástica, hubo otro tipo de pintura. «Sabemos ahora —dijo el autor del *Guernica*— que el arte no es la verdad. El arte es una mentira que nos permite aproximarnos a la verdad, al menos a la verdad comprensible para nosotros (...) El artista debe descubrir la manera de convencer al público de la entera veracidad de sus mentiras». El gran pintor fue siempre sustancialmente fiel a las coordenadas creadoras que subyacen bajo este pensamiento y la aventura picassiana se movió dentro de sus diversas etapas y experiencias en esa dirección artística.

Para buscar figuras comparables a la de Picasso dentro de la pintura universal hay que pensar en Leonardo, en el Giotto, en Velázquez, en Goya, en los grandes artistas que renovaron en sus respectivas épocas la concepción creadora y abrieron caminos inéditos en el campo de la plástica. Picasso nunca recorrió caminos trillados ni se contentó con los admirables hallazgos —«yo no busco, encuentro», decía— que jalonan su obra. Siempre avanzaba, pese a lo que aparentemente pudieran indicar en sentido contrario sus enriquecedoras variaciones sobre un mismo te-

Retrato de su amigo Pallarés pintando. *Dibujo a lápiz sobre papel. Barcelona, 1895 (30,8 × 23,8 cm). M.P.B.*

Copia de un vaciado en yeso. Dibujo académico hecho con carboncillo sobre papel. Barcelona, 1895. (62,5 × 47,5 cm). M.P.B.

Agil apunte del padre del artista. Dibujo a lápiz sobre papel. La Coruña, 1895. (19,5 × 13,5 cm). M.P.B.

ma. «Todo lo que he hecho —afirmó al cumplir 76 años, cuando ya hacía muchos en que estaba justamente considerado como el pintor más grande del siglo XX— es únicamente un primer paso en un largo camino. Se trata únicamente de un proceso preliminar que deberá desarrollarse mucho más tarde. Por lo tanto mis obras deben ser vistas relacionándolas unas con otras, teniendo siempre presente lo que he hecho y lo que voy a hacer».

La vida de Picasso —los ambientes en que vivió, sus amores, sus ideas, sus raíces profundamente españolas, su asentamiento en tierra francesa— está íntimamente vinculada —condicionándola en alguna medida y enriqueciéndola siempre— con su obra artística. Porque Picasso era un artista profundamente humano en el que la intuición predominaba abrumadoramente sobre el conocimiento teórico. Por eso la importancia de su biografía es poco menos que determinante a la hora de intentar adentrarse en el complejo contenido de la obra picassiana. No en vano dijo el propio pintor: «Yo no evoluciono, yo soy».

El pintor nació en Málaga el 25 de octubre de 1881. Vino al mundo a las nueve y media de la noche —según propia confesión del artista, aunque Palau i Fabre diga en *La extraordinaria vida de Picasso* que fue a las once y cuarto— en la casa número 36 (en la actuali-

Escena familiar. *Oleo sobre tela pintado en La Coruña o Barcelona el año 1895. (13,8 × 22,1 cm). M.P.B.*

dad 16) de la plaza de la Merced de la bella capital malagueña. «Nació mal —escribe Palau i Fabre en la citada obra— y la comadrona prescindió de él dándole por muerto, pero su tío Salvador, que era médico, le sopló a la cara el humo del cigarrillo que estaba fumando y le hizo llorar. Así Picasso logró permanecer en el mundo». El recién nacido fue bautizado con el nombre de Pablo.

Los padres del futuro gran pintor se llamaban José Ruiz Blasco y María Picasso López. El padre, que era profesor de dibujo, tenía cuarenta años cuando nació el autor de *Les demoiselles d'Avignon.* Era un hombre alto, rubio y de un carácter alegre y bondadoso. Su familia parece ser que era originaria de Castilla la Nueva y Aragón. La madre, en cambio, era morena y sus bellos ojos negros estaban animados por una viva expresión. «Su familia —dice Pierre Daix— se había instalado en Málaga hacía ya mucho tiempo, sin que pudiera establecerse su origen andaluz. El apellido resulta raro en español por su ortografía, por su doble ese, mas aunque se haya descubierto un pintor italiano llamado Matteo Picasso que vivía en Génova en el siglo pasado, no existe ningún detalle que autorice a pensar en una posible ascendencia italiana». El matrimonio tuvo dos hijas más: Lola, nacida en 1884, y Concha, en 1887.

Jaime Sabartés —cuya vida estuvo estrechamente ligada a la del pintor— y algunos amigos catalanes de Picasso han insistido en más de una ocasión en que éste se parecía mucho más a su madre que a su padre. «Sus virtudes —dice Sabartés refiriéndose a la madre de Picasso— embellecían a doña María, bondadosa, inteligente, un modelo de gracia y de ingenio; pero el carácter, la agudeza, la agradable manera de ser de don José no eran menores que los méritos y cualidades de su esposa... Mas, sin ninguna duda, es de su madre de quién Picasso ha heredado esta deli-

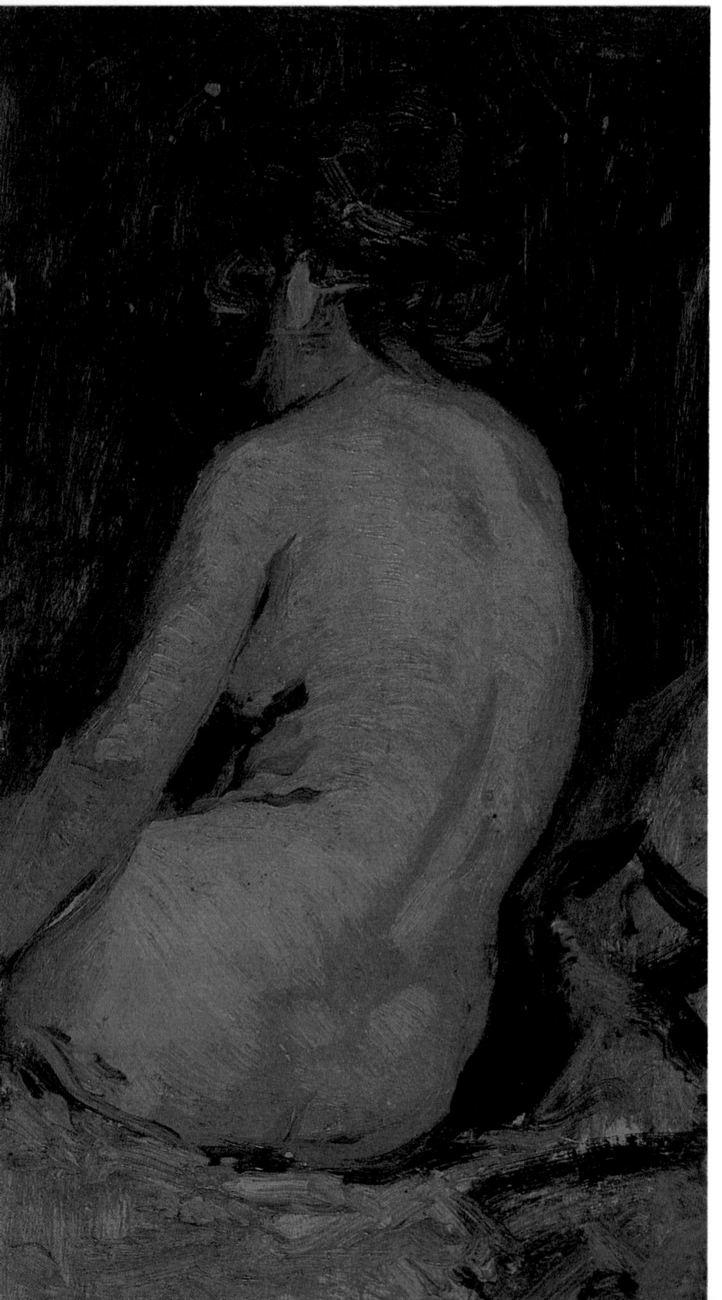

Copia de un fragmento de Estudi de Mas Fontdevila. *Oleo sobre tabla. Barcelona, 1895. (22,3 × 13,7 cm). M.P.B.*

La virgen me perdone. *Lápiz y acuarela sobre papel. Barcelona 1895-1896. (27,5 × 19,7 cm). M.P.B.*

Boceto para Vieja recibiendo aceite de un monaguillo. *Pluma sobre papel. Barcelona, 1895-1896. (20,8 × 15,9 cm). M.P.B.*

Vieja recibiendo aceite de un monaguillo. *Oleo sobre lienzo pegado en cartón. Barcelona, 1896. (29,2 × 20,2 cm). M.P.B.*

cadeza, este buen humor, esta gracia natural que le caracterizan; sin embargo, si observamos sus gestos involuntarios, cuando está nervioso, impaciente, fatigado o contrariado, cuando le importunan, cuando algo viene a interrumpir su trabajo, encontramos a don José; aunque con una diferencia: que al padre, lo que le irritaba ¡era ponerse a pintar!». Pablo Picasso, por el contrario, sintió durante toda su vida una imperiosa necesidad de pintar. La pintura fue la razón de su vida y también su goce mayor. De ahí ese sentimiento lúdico que se refleja en sus mejores obras.

La familia del pintor se trasladó a La Coruña en septiembre de 1891. Según parece, aquel traslado no les hizo la menor ilusión. Pero «a pesar de que a mi padre se le caía el alma a los pies — recordaría muchos años más tarde Pablo Picasso—, para mí el viaje a La Coruña tenía aires de fiesta». Se desplazaron en barco desde Málaga a Vigo, desde donde se trasladaron por tierra a la capital herculina. Picasso iba a cumplir diez años y se sentía feliz contemplando el verde paisaje gallego.

Los Ruiz Picasso se instalaron en el número 14 de la calle Payo Gómez Charino, un edificio de piedra de tres pisos en el que en 1971 se colocó una lápida de mármol con la siguiente inscripción: «En esta casa vivió y pintó Pablo Ruiz Picasso. 1891-1895».

Salon del Prado
Madrid

Detalle de casas. *Oleo sobre lienzo. Barcelona, 1896. (23,5 × 29,4 cm). M.P.B.*

Playa. *Oleo sobre lienzo. Barcelona, 1896. (24,4 × 34 cm). M.P.B.*

Salón del Prado. *Oleo sobre tabla. Madrid, 1896 ó 1897. (10 × 15,5 cm). M.P.B.*

Estos cuatro años de la vida del pintor han sido poco estudiados y, sin embargo, este período transcurrido en la capital gallega no deja de tener considerable importancia en el devenir del artista, ya que fue precisamente en La Coruña donde Picasso empezó a dar muestras de sus extraordinarias facultades. Su padre le había enseñado a dibujar. Pero un día, cuando la fa-

Hombre apoyado en un portal gótico. *Oleo sobre tela. Barcelona, 1896. (20,2 × 12,8 cm). M.P.B.*

Angulo del claustro de San Pablo del Campo. Oleo sobre tabla. Barcelona, 1896. (15,5 × 10,1 cm). M.P.B.

milia vivía en La Coruña, «se produjo —dice Palau i Fabre— un hecho casi insólito: el padre, el profesor, se dio cuenta de que su hijo, el alumno, sabía más que él y que ya no le podía enseñar nada. No sólo no podía enseñarle nada, sino que era su hijo quien podía darle lecciones a él. Aquel día, el padre hizo entrega de sus pinceles, de su caja de colores, de su caballete, en fin, de todos sus trabajos de pintor a su hijo, y ya no volvió a pintar. A partir de entonces, sólo cogería el lápiz para corregir, en clase, los dibujos de sus alumnos».

Fue también en La Coruña donde Picasso expuso por primera vez. Cuando ya era un pintor famoso, llegó a preguntar en más de una ocasión si se encontraban dibujos suyos en la ciudad gallega. Decía que tenía que haber bastantes.

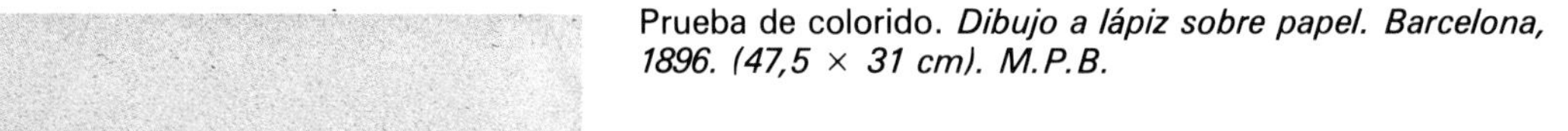

Prueba de colorido. *Dibujo a lápiz sobre papel. Barcelona, 1896. (47,5 × 31 cm). M.P.B.*

Prueba de colorido. *Dibujo a carboncillo y lápiz sobre papel. Barcelona, 1896. (60 × 47 cm). M.P.B.*

Croquis de la madre del pintor y de su hermana Lola y dos manos. *Pluma sobre papel. Barcelona, 1895-1896. (22,1 × 16,2 cm). M.P.B.*

El Orzán y la Torre de Hércules «son —diría— sitios entrañables para mí. (...) El viento ha comenzado a su vez —escribe, a los trece años, como leyenda de una caricatura en la que ha dibujado unas faldas alborotadas por el temporal *(O vento do Fisterre zoando alporizado)*— y continuará soplando hasta que no quede rastro de La Coruña».

Aunque ya se había aficionado en Málaga, fue también durante el período gallego —1891-1895— cuando Picasso se dedicó asiduamente a dibujar palomas, un símbolo picassiano que llegaría a representar andando el tiempo el amor universal a la paz. Otra faceta interesante del inquieto quehacer del pintor en los cuatro años vividos en La Coruña fue la creación de revistas de ejemplar único —que él editaba, dirigía, ilustraba y redactaba—, tales como «Torre de Hércules, «La Coruña» o «Azul y Blanco».

Le cabe, pues, a La Coruña el alto honor de ser la ciudad en cierto modo nutricia del artista niño, el marco ambiental donde empezó a sedimentarse el genio creador de Pablo Picasso.

Hacia finales de 1894 murió en La Coruña la hermana menor de Picasso, Concepción, y en junio del año siguiente el padre tomó posesión de su cargo en la Escuela de Bellas Artes de Barcelona, permutando su puesto en la capital gallega con el profesor Novarro García.

El traslado a Barcelona sería trascendental para la formación artística de Picasso. En 1895 ingresó en la Lonja, donde su padre era profesor. Picasso aprobó sin dificultad el correspondiente examen.

Pablo Picasso tuvo su primer taller en la calle de la Plata, compartiéndolo con Manuel Pallarés. Picasso trabajó intensamente en esta época. «Fueron —dice Palau i Fabre— meses de ese trabajo intensivo, apremiante y casi violento que le duraría toda la vida». En 1897 pintó *Ciencia y Caridad,* obra con la que obtuvo

El padre del artista. *Pluma y aguatinta sobre papel. Barcelona, 1895-1896. (15 × 16,5 cm). M.P.B.*

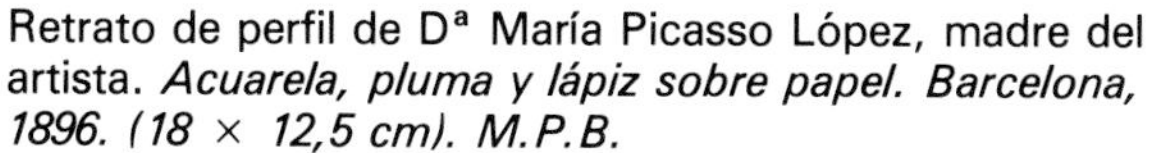

Retrato de perfil de Dª María Picasso López, madre del artista. *Acuarela, pluma y lápiz sobre papel. Barcelona, 1896. (18 × 12,5 cm). M.P.B.*

Retrato de Dª María Picasso López, madre del artista. *Pastel sobre papel. Barcelona, 1896 (49,8 × 39 cm). M.P.B.*

una mención honorífica en la Exposición General de Bellas Artes de Madrid. Es el año en que ingresó en la Academia de Bellas Artes de San Fernando. Pero poco después cayó enfermo, pasando, invitado por su amigo Pallarés, una temporada de descanso en la casa que éste tenía en Horta d'Ebre, población ubicada en la comarca de Terra Alta. Picasso comentaría más tarde que «todo lo que sé lo he aprendido en Horta d'Ebre». Allí pintó *Costumbres de Aragón* y obtuvo una medalla en Madrid y otra en su Málaga natal.

Cuando regresó repuesto de la enfermedad a Barcelona, estableció contacto con el bullanguero grupo de artistas que se reunía en el «Quatre Gats», popular local regentado por Pere Romeu. De entonces data su amistad con Jaime Sabartés, el escultor Manolo, el pintor Junyer, Casagemas, Reventós y otros.

En febrero de 1900 celebró su primera exposición en la Ciudad Condal, precisamente en «Quatre Gats», sobre el cual —escribe Palau i Fabre— «Rodríguez Codolá publicó en «La Vanguardia», el 3 de febrero de 1900, un extenso y elogioso artículo comentando la pintura de este muchacho de dieciocho años, cuya genialidad fue el primero en entrever».

Es una época picassiana particularmente alegre. Pi-

◁ Primera comunión. *Oleo sobre lienzo. Barcelona, 1896. (166 × 118 cm). M.P.B.*

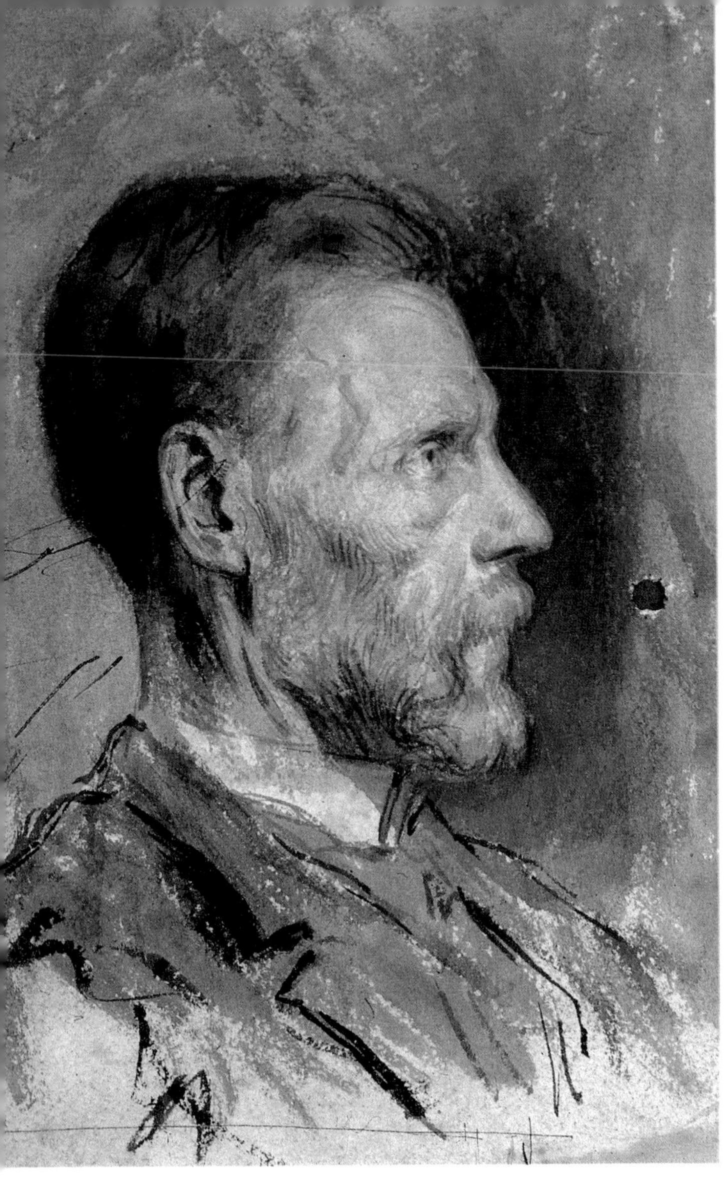

Retrato de D. José Ruiz Blasco, padre del artista. *Acuarela sobre papel. Barcelona, 1896. (18 × 11,8 cm). M.P.B.*

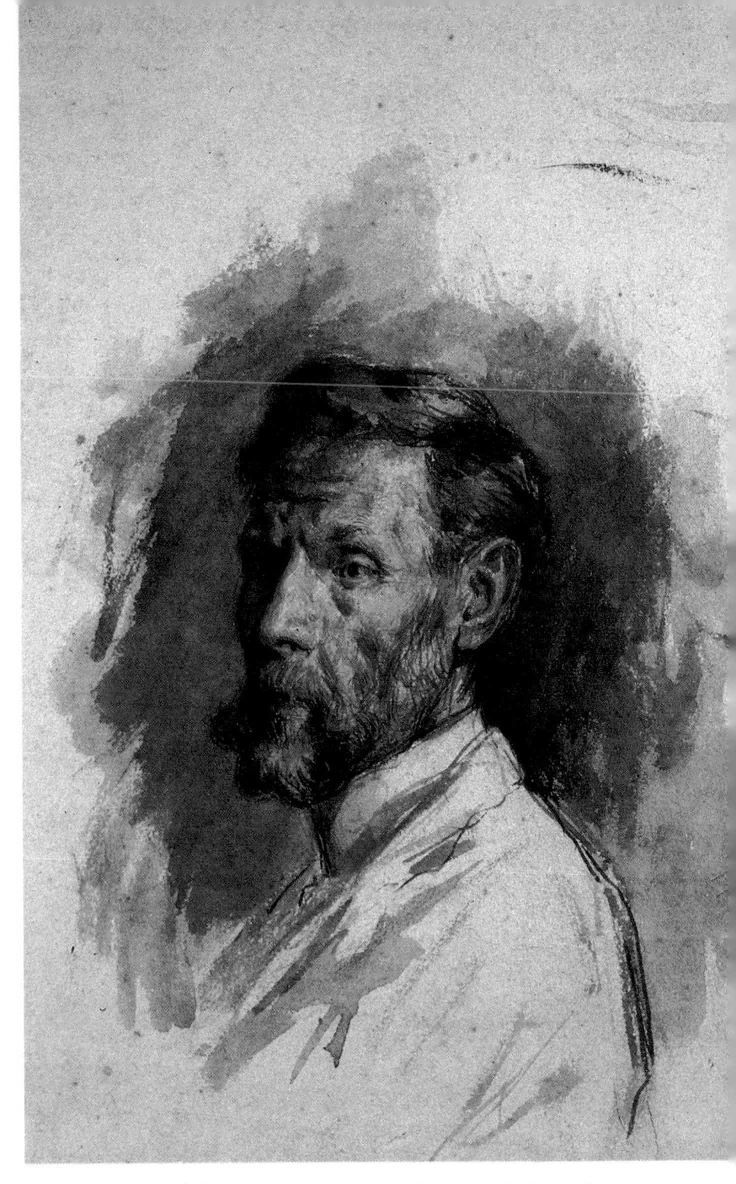

El padre del artista. *Acuarela sobre papel. Barcelona, 1896. (25,5 × 17,8 cm). M.P.B.*

casso dejó un valioso documento gráfico de aquellos alegres días: es el dibujo que hizo a pluma en el que aparece él, rodeado de un grupo de amigos, sentados, bebiendo y fumando en torno a una mesa, con su negro pelo revuelto, barba, abrigo, bastón y tocado con un sombrero de grandes dimensiones.
Picasso tenía diecinueve años cuando, acompañado de su amigo Casagemas —que se suicidaría en 1901—, emprendió la aventura de conquistar París, la capital del arte a la sazón. Los dos amigos se instalaron en la rue Gabrielle, número 35, en el estudio que les dejó Isidro Nonell, que había decidido regresar a Barcelona. A los dos meses, Picasso firmó un contrato con el marchante catalán Pere Manyac, mediante el cual el pintor se comprometía a entregarle su producción percibiendo por ella 150 francos al mes.
En aquel sugestivo París de principios de siglo Picasso se convirtió muy pronto en uno de los más bulliciosos

vecinos de Montmartre. Hasta 1904 vivió en el famoso Bateau-Lavoir, donde también vivían André Salmon, Cornelius van Dongen y Juan Gris, alternando su estancia entre París y Barcelona. Es el comienzo de la «época azul» picassiana, que abarcaría desde finales de 1901 hasta principios de 1905.

A finales de 1900, Picasso hizo una visita a Málaga. Unos días después estaba en Madrid, donde fundó con Francisco Soler la revista «Arte Joven», de efímera vida. En abril del mismo año se desplaza a Barcelona, exponiendo en la Sala Parés una serie de obras al pastel elogiosamente comentada por Miguel Utrillo en «Pel i Ploma». En mayo volvió a París y expuso, al lado de Iturrino, sesenta y cinco obras en la galería del célebre marchante Ambroise Vollard.

En 1904, cuando ya estaba instalado en el Bateau-Lavoir, Picasso conoció al poeta Apollinaire. Por esa época es cuando empieza a sentirse vivamente atraído por el mundo del circo, cuyos temas vivos lleva a sus cuadros, iniciando su «época rosa». Son

Autorretrato. *Oleo sobre tabla. Barcelona, 1896 (22,1 × 13,7 cm). M.P.B.*

Autorretrato con peluca. *Oleo sobre lienzo. Barcelona, 1896. (55,8 × 46 cm). M.P.B.*

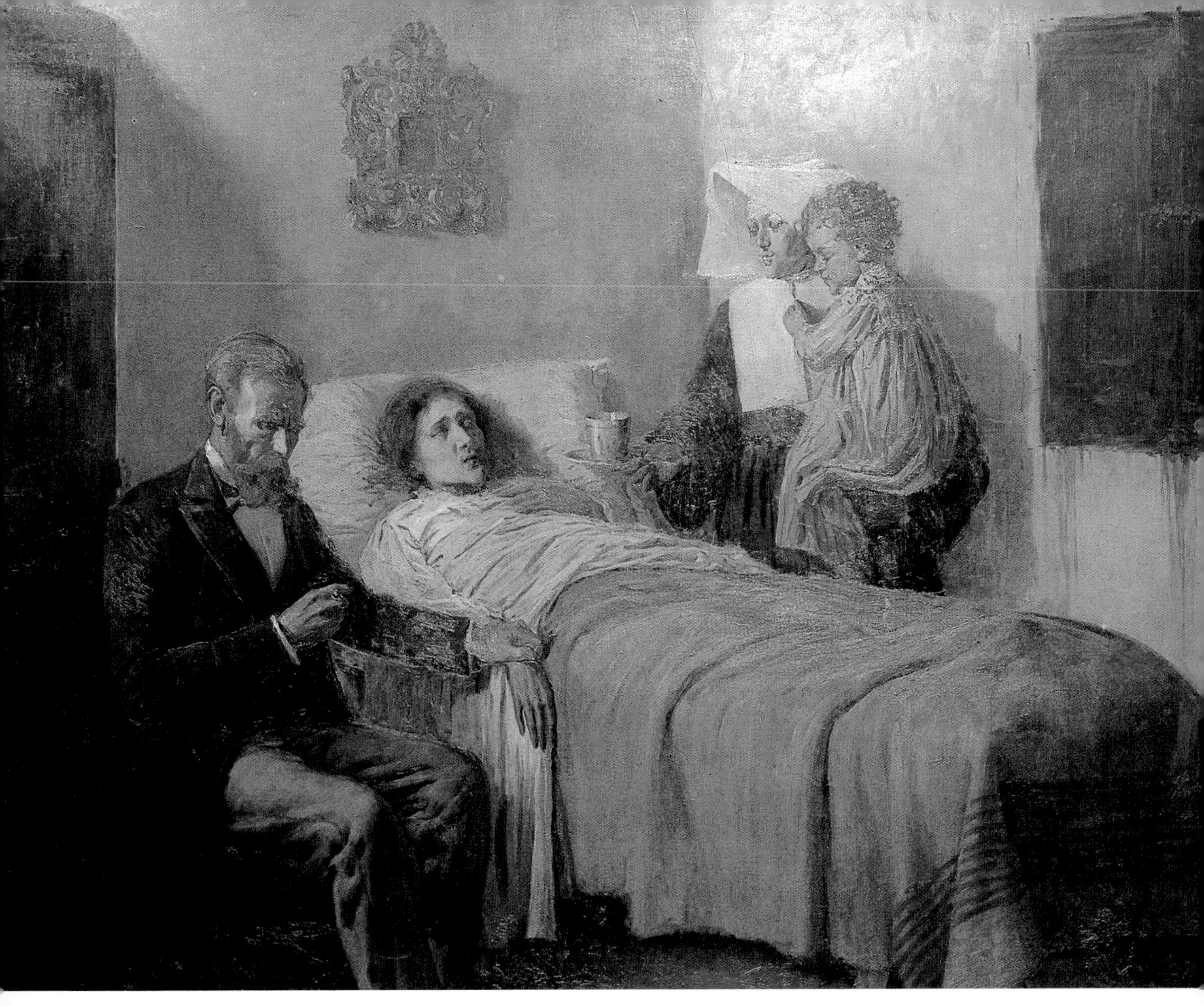

Ciencia y Caridad. *Oleo sobre lienzo. Barcelona 1897. (197 × 249,5 cm). M.P.B.*

también los tiempos en que empieza a vender sus cuadros a compradores norteamericanos —entre otros, a Gertrude Stein— y cuando conoce a Fernande Olivier, con quien establecería una de sus más dilatadas y artísticamente fructíferas relaciones amorosas. Fernande —que vivía en aquellos momentos el drama de contemplar como el escultor que era su marido iba siendo presa de la locura y que no se uniría al pintor hasta pasado algún tiempo, hacia el final de la «época rosa» picassiana— nos ha dejado un inestimable retrato literario del Picasso de principios de siglo, que era —visto por ella— «bajo, moreno, corpulento, inquieto e inquietante, de ojos oscuros y mirada isondable y penetrante, extraña y casi fija. Movimientos torpes y manos femeninas, mal vestido y desaliñado. Una guedeja de cabello negro y brillante le caía sobre la inteligente y obstinada frente. Tenía un aspecto entre bohemio y obrero y unos cabellos exce-

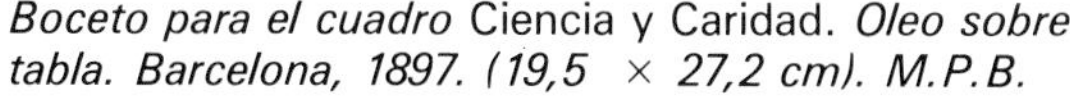

Boceto para el cuadro Ciencia y Caridad. *Oleo sobre tabla. Barcelona, 1897. (19,5 × 27,2 cm). M.P.B.*

Boceto para Ciencia y Caridad. *Oleo sobre lienzo. Barcelona, 1897. (23,8 × 26 cm). M.P.B.*

Boceto para Ciencia y Caridad. *Oleo sobre tabla. Barcelona, 1897. (13,6 × 22,4 cm). M.P.B.*

Boceto para Ciencia y Caridad. *Acuarela sobre papel. Barcelona, 1897. (22,8 × 28,4 cm). M.P.B.*

sivamente largos que colgaban por encima del cuello de su raída chaqueta...»

Durante estos años se va afianzando la personalidad humana y artística de Picasso. Además de relacionarse con personalidades extranjeras del mundo de las artes y de las letras que acuden al Bateau-Lavoir —Max Jacob, Apollinaire, Van Dongen y otros muchos nombres hoy famosos—, el pintor malagueño se rodea también de españoles residentes en París. Son los que forman la llamada *banda Picasso:* los escultores Manolo Hugué y Paco Durrio, los pintores Ignacio Zuloaga y Ricardo Canals, Ramón Pichot y algunos más.

El año 1907 resulta particularmente interesante y sig-

Violinista callejero. *Lápiz y acuarela sobre papel. Madrid, 1897-1898. (23,5 × 33,5 cm). M.P.B.*

Riña en un café. *Lápiz negro y rojo sobre papel. Barcelona, 1897-1899. (22,9 × 33,5 cm). M.P.B.*

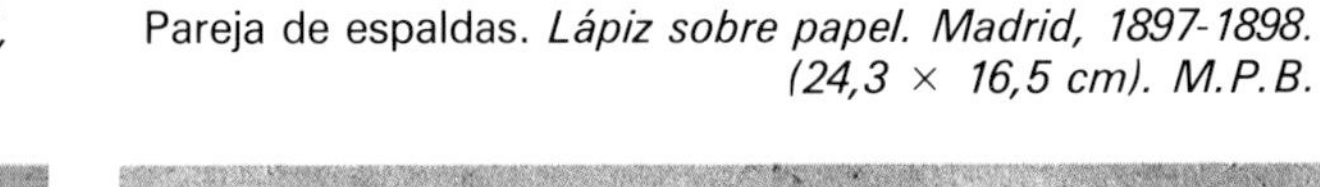

Pareja de espaldas. *Lápiz sobre papel. Madrid, 1897-1898. (24,3 × 16,5 cm). M.P.B.*

La Chata. *Carboncillo, acuarela y «gouache» sobre papel. Barcelona, 1899. (31,6 × 7,6 cm). M.P.B.*

nificativo dentro de la trayectoria artística de Picasso. En la primavera de este año pintó uno de sus cuadros más famosos: *Les demoiselles d'Avignon.* La obra no tiene relación alguna con la ciudad francesa de Avignon, sino que brotó de los recuerdos que Picasso guardaba de cierto burdel situado en la barcelonesa calle de Aviñó. Esta obra suele citarse como el punto de arranque del cubismo picassiano. Este mismo año Pablo Picasso traba relación con Braque y con Kahnweiler, que se convertiría en su marchante exclusivo. Por esta época fue cuando Picasso se interesó por el arte negro, cuya ingenua y profunda expresividad abriría para el pintor nuevos veneros de inspiración. El cubismo y el arte negro ocupan un lugar preferente en estos años de intensa actividad picassiana. Su estética se enriquece y renueva constantemente y su técnica adquiere una perfección insuperable. En este período picassiano la creación aparece determinada claramente por la carga teórica. Su sugestivo cubismo analítico durará hasta 1911, para dar paso un riguroso conceptualismo de hermosa factura plástica.

Durante estos años Picasso lleva una vida extraordinariamente agitada y hace algunos viajes a Barcelona. En 1909 pasa el verano en Horta d'Ebre, acompañado ya de Fernande Olivier. Este mismo año expone en la Galería Tannhäuser de Munich. El año 1910 pasa una temporada en Cadaqués, en compañía de Fernande Olivier y Derain, y pinta varios retratos cubistas, entre ellos el de Vollard. Los veranos de los tres años siguientes los vive Picasso en Ceret, acompañado de Manolo Hugué, Braque, Juan Gris y Max Jacob. En 1913 fallece el padre del pintor. Un año antes había surgido otra mujer en la vida de Picasso: Marcelle Humbert. Curiosamente, Marcelle —a quien su amante llamaba Eva y que moriría a finales de 1915 en el hospital— no fue nunca pintada por Picasso, que

El diván. *Carboncillo, pastel y lápices de colores sobre papel. Barcelona, 1899. (25 × 29 cm). M.P.B.*

Lola, la hermana del artista. *Carboncillo y lápices de colores sobre papel. Barcelona, 1899. (44 × 29 cm). M.P.B.*

Dos apuntes de mujeres sentadas. *Lápiz sobre contratapa de un cuaderno. Barcelona, 1899. (23 × 16,8 cm). M.P.B.*

Mujer sentada leyendo. *Acuarela sobre papel. Barcelona, 1899. (19 × 14 cm). M.P.B.*

hizo numerosos retratos de sus otras mujeres. En 1912 expuso en la Stafford Gallery, de Londres, y en las Galerías Dalmau, de Barcelona.

Cuando se desencadenó la tragedia de la guerra europea, los amigos de Picasso se dispersan. Sólo quedan en París el escultor Gargallo y Max Jacob, que fue dado por inútil para el servicio militar.

El año 1916, en plena guerra, Jean Cocteau pone a Picasso en contacto con Diaghilev y los miembros rectores del ballet ruso. Colabora con ellos realizando los decorados, el vestuario y el telón de «Parade» y los decorados de «El sombrero de tres picos» y «Pulcinella». Esta colaboración de Picasso con la magnífica formación coreográfica rusa, que duraría varios años, le permite intimar con la gran bailarina Olga Koklova, con la que el pintor se casaría en 1918, siendo padrinos de la boda Max Jacob y Cocteau.

Al terminar la guerra, Picasso se siente atraído por el movimiento surrealista, que le impulsa a llevar a cabo audaces exploraciones en el campo de la plástica. El

Pablo Ruiz Picasso

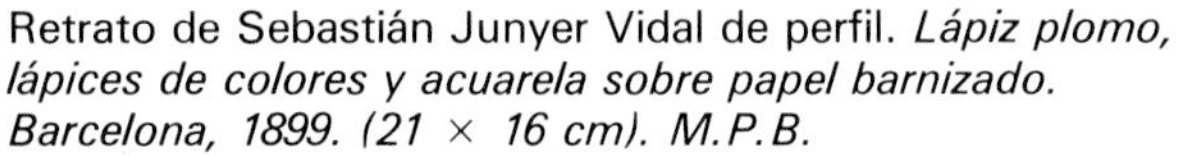
Retrato de Sebastián Junyer Vidal de perfil. *Lápiz plomo, lápices de colores y acuarela sobre papel barnizado. Barcelona, 1899. (21 × 16 cm). M.P.B.*

Retrato de Carlos Casagemas. *Oleo sobre lienzo. Barcelona, 1899. (55 × 45 cm). M.P.B.*

propio André Breton habría de confesar en su obra *Le Surréalisme et la Peinture* que «si la voluntad de este hombre (Picasso) hubiese flanqueado, la partida que nos ocupa se habría, por lo menos, si no perdido, aplazado. Su admirable perseverancia nos es una prenda tan preciosa, que no necesitamos apelar a ninguna otra autoridad».

Otro año importante dentro de la vida artística picassiana es 1924, cuando el pintor inició la serie de bodegones que continuaría en 1925. Picasso participó en la exposición de pinturas surrealistas que se celebró en la Galería Pierre Loeb, de París.

En 1931 ilustró *La obra maestra desconocida,* de Balzac, y *Metamorfosis,* de Ovidio, y en 1934 realizó la extraordinaria serie de grabados —alrededor de cien— denominada *Suite Vollard.*

En 1935 se separa de su mujer y pide el divorcio, pero Olga Koklova no accede. Este es el año del nacimiento de Maya, la hija que tuvo con Marie Thérèse Walter. Había conocido a esta mujer de forma ocasional y las formas exuberantes del cuerpo de Thérèse le inspiran varias estupendas esculturas. Este mismo año, el poeta Paul Eluard le presentó a Dora Maar, pintora y fotógrafa introducida en los círculos surrealistas, con la que se ligó durante algún tiempo y a la que hizo varios magníficos retratos. Es también en 1935 cuando graba la *Minotauromaquia* y cuando su amigo Jaime Sabartés se convierte en su secretario.

Picasso fue nombrado director del Museo del Prado en 1936 y al año siguiente pintó *Guernica,* su cuadro más famoso, que le fue encargado por el Gobierno de la República española y en el que el pintor quiso sim-

bolizar, basándose en la brutal destrucción de la ciudad vasca materializada por la aviación nazi, los horrores de la guerra.
El año 1939 Picasso presentó una magnífica exposición en el Museo de Arte Moderno de Nueva York. La satisfacción por el clamoroso triunfo obtenido con tal motivo quedó empañada por la muerte de su madre, acaecida hacia el final de la guerra civil.
En 1940, Picasso, que se encuentra en Royan cuando entran las tropas de Hitler en la población francesa, hace el siguiente comentario, recogido por su secretario Sabartés: «Es otra raza... Se creen muy sabios y tal vez lo sean; han progresado... Es verdad, ¿y luego qué?... En todo caso, lo cierto es que nosotros pintamos mejor que ellos. En el fondo, si te fijas bien, te darás cuenta de que son muy bobos. ¡Tantas tropas y máquinas, tanta potencia y tanto estruendo para llegar aquí! Nosotros hemos llegado con menos ruido... ¡Qué estupidez! ¿Quién les impedía hacer como nosotros? Quizá se figuran que han conquistado París. Pero nosotros, sin movernos de aquí, hace mucho tiempo que hemos tomado Berlín, y no creo que puedan desalojarnos de él». Picasso intenta ser optimista, pero, en el fondo, se siente profundamente afectado por la ocupación de las tropas hitlerianas.
En 1946, el pintor conoció a Françoise Gilot, que fue

Desnudo femenino de espaldas. *Lápiz sobre papel. Barcelona, 1899. (61,8 × 47,5 cm). M.P.B.*

Carretero. *Lápiz sobre papel. Barcelona, 1897-1899. (32,1 × 24,6 cm). M.P.B.*

Desnudo femenino sentado. *Lápiz sobre papel. Barcelona, 1899. (47,6 × 31,6 cm). M.P.B.*

Picador con monosabio. *Pluma y acuarela sobre papel. Barcelona, 1899 (33,8 × 23,4 cm). M.P.B.*

su compañera durante algún tiempo. Cuando la *liaison* estuvo deshecha, la Gilot escribió un libro feroz sobre sus relaciones con Picasso —lo mismo hizo Fernande Olivier—, en el que presentó al artista de esta guisa: «Pelo negro, ojos brillantes, complexión cuadrada, robusto..., un hermoso animal. Ahora, sus cabellos grises, su mirada ausente —distraído o aburrido—, le daban cierto aspecto oriental e introvertido, que me recordaba la estatua del escriba egipcio del Louvre. Sin embargo, no había nada de estatuario o rígido en sus actitudes: gesticulaba, se retorcía, levantándose a medias de su asiento en movimientos rápidos hacia atrás y hacia adelante».
Picasso participó en 1944 con más de 70 obras en el Salón de Otoño, certamen al que se presentaba por primera vez. En 1947, Picasso se interesó vivamente por la cerámica. Se estableció en Vallauris —localidad que le nombraría ciudadano honorario en 1950— e hizo prácticamente suyo el taller de los Ramié, trabajando intensamente como ceramista. En una encantadora iglesia románica de Vallauris hay dos magníficos murales de Picasso, *La guerra* y *La paz,* pintados por esa época.
En 1953 se rompió su unión con Françoise Gilot y en 1955 murió su mujer Olga Koklova. El año 1954, Picasso conoció a Jacqueline Roque, su segunda esposa, con la que se casaría en 1958. El pintor vivió con varias amantes y dos esposas, pero no tuvo más que cuatro hijos: Pablo, cuya madre fue la bailarina Olga; Maya, de Marie-Thérèse Walter, y Claude y Paloma, de Françoise Gilot. De su segunda mujer legítima no tuvo descendencia.
En 1957 Picasso empezó a trabajar en *Las meninas*

Retrato del escritor Ramón Reventós. *Acuarela, carboncillo y lápiz sobre papel. Barcelona, 1899. (66,5 × 30,1 cm). M.P.B.*

Retrato de Santiago Rusiñol y caricatura de Ramón Pitxot. *Pluma y aguatinta sobre papel. Barcelona, 1890-1900. (32,2 × 22 cm). M.P.B.*

Retrato de Hermenegildo Anglada Camarasa. *Pluma y aguatinta sobre papel. Barcelona, 1899-1900. (10,6 × 9,5 cm). M.P.B.*

que expuso en 1959 en las galerías Louise Leiris. Los cincuenta y ocho cuadros que componen la serie de *Las meninas* fueron pintados en algo más de cuatro meses.

Tras haber presenciado una corrida de toros en Arlés, se puso a realizar las veintiséis aguatintas que forman la serie de «La Tauromaquia, Arte de Torear» de José Delgado (Pepe Illo).

Después de haber comprado el Castillo de Vauvenargues, Picasso pintó varios cuadros en los que parece haberse inspirado cromáticamente en el paisaje circundante, que expuso en enero de 1963.

En junio de 1961 se había trasladado al mas Notre-Dame-de-Vie, de Mougins, donde continúa la serie inspirada en *Le déjeuner sur l'herbe,* de Manet, que había empezado en Vauvenargues.

Entre marzo y junio de 1963 pintó los cuarenta y tantos lienzos que integran la serie denominada *El Pintor y su modelo.* Picasso, que estaba en plena fiebre creadora, llegó a decir: «La pintura es más fuerte que yo; me obliga a hacer lo que quiere».

Para el pintor parece como si no pasasen los años y continúa pintando como un joven cuando ya ha cumplido ochenta de edad, con la inspiración asombrosamente fresca, llena de vivacidad, dominando siempre los problemas técnicos con su genial, irrepetible maestría.

Los años de 1966 y 1967 Picasso dibuja incansablemente, como si presintiera que su final estaba ya próximo y quisiese legar a la posteridad la mayor cantidad posible de testimonios gráficos de su genio. Son «unos dibujos —dice Palau i Fabre— en los cuales se manifiesta un Picasso totalmente renovado. Unos dibujos en los cuales los materiales, las técnicas —lápiz, lápices de colores, tinta, *gouache*— se mezclan y

Retrato de Santiago Rusiñol. *Pluma y acuarela sobre papel. Barcelona, 1899-1900. (10,3 × 9,2 cm). M.P.B.*

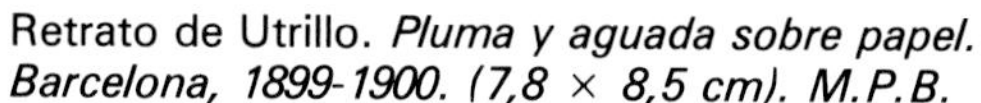

Retrato de Utrillo. *Pluma y aguada sobre papel. Barcelona, 1899-1900. (7,8 × 8,5 cm). M.P.B.*

Retrato de Oriol Martí. *Lápiz y pluma sobre papel. Barcelona, 1899-1900. (16,6 × 11,3 cm). M.P.B.*

confunden de la manera más imprevista, como se funden y se mezclan los elementos fantasiosos con los realistas, las épocas y los personajes más diversos. Con estos dibujos, Picasso deja atrás todas las polémicas sobre arte abstracto y arte figurativo, porque cada uno de los elementos de expresión empleados lleva consigo una carga o substrato que viene a pelearse, sobre el papel, con los demás, creando, entre todos, un mundo de sugerencias que va mucho más allá de la representación o de la cosa representada».
En 1966 —tras haber sufrido el año anterior una operación de vesícula biliar— se organiza en París un gran homenaje a Picasso y es presentada en el Grand y en el Petit Palais una exposición-muestra compuesta por unas quinientas obras que fue visitada por más de un millón de personas.
Desde 1966 hasta 1970 la producción picassiana asciende a unos 500 dibujos, alrededor de 350 grabados, unas 200 pinturas y gran cantidad de cerámicas. El 1° de mayo de 1970 se inauguró en el Palacio de los Papas, de Avignon, una exposición en la que Picasso —que ya contaba ochenta y ocho años— expuso 140 lienzos. Al año siguiente, al cumplirse su noventa aniversario, fueron expuestas varias obras suyas en el Museo del Louvre. Finalmente, el 8 de abril de 1973, el pintor moría en su residencia de Mougins.

Retrato-caricatura de Joaquín Mir. *Pluma y acuarela sobre papel. Barcelona, 1899-1900. (9 × 7,9 cm). M.P.B.* ▷

Menú impreso de «Els Quatre Gats». *Barcelona, 1899-1900. (21,8 × 32,8 cm). M.P.B.*

EL «PERIODO AZUL»

Esta fase picassiana se caracteriza por la tristeza humana y ambiental que rodea el mundo de los marginados del banquete vital que el pintor lleva a sus lienzos. Pero, como dice Pierre Daix, «la zambullida de Picasso en el infierno azul no tiene nada de dolorista, de resignada o de religiosa; al contrario, es una zambullida humanista, es un hombre que contempla a sus semejantes y nos los hace ver, y antes se los ha ofrecido en espectáculo a sí mismo. Pues este muchacho de veinte años va más allá de sus telas, y si es tan humano es porque sabe conservar su razón, su espíritu independiente de pintor».

El llamado «período azul» dentro de la obra de Picasso se inicia en el otoño de 1901. Su vigorosa personalidad creadora le hace apartarse de la pintura figurativa que se hacía a la sazón e imprimir en sus cuadros un sello independiente, un estilo decididamente original. Picasso le escribe desde Barcelona a Max Jacob refiriéndose a su pintura «azul»: «Los artistas de aquí encuentran que en mis cuadros hay demasiada alma y poca forma: es muy gracioso». Había, desde luego, mucha alma en los lienzos picassianos de aquella época —que abarcaría desde el otoño de 1901 a finales de 1904—, pero había asimismo una forma peculiar que, rehuyendo las soluciones plásticas del impresionismo, se traducía en una rigurosa condensación de las imágenes en bloques compactos sobre tonalidades siempre azules y fondos desvaídos.

Durante los tres años y pico que dura el «período azul», Picasso vive a caballo de Barcelona y París. «Trabaja en una y otra ciudad —escribe Pierre Daix en su biografía del pintor— como un forzado. Es la época de su mayor pobreza, del frío cada invierno». Es un dato no irrelevante por cierto que contribuye a comprender la génesis de aquella pintura picassiana. De las obras pintadas por Picasso entre 1901 y 1904 cabe citar las tituladas *Madre con niño enfermo* —cuadro rebosante de ternura, pintado al pastel sobre papel, que se conserva en el Museo Picasso de Barcelona—, *La vida* —una de las obras más conocidas del «período azul», óleo sobre lienzo que pertenece al Museum of Art de Cleveland; en Londres hay un boceto en el que la figura masculina del primer término recuerda los rasgos del propio Picasso—, *Celestina* —obra de extraordinaria pureza plástica, pintada al óleo sobre lienzo, de propiedad privada (París)—, *El arlequín pensativo* —pintura realizada en 1901 y no firmada, al parecer, hasta 1927, que puede considerarse como de transición al «período azul», óleo sobre lienzo, que forma parte del fondo del Metropolitan Museum of Art de Nueva York—, *El viejo guitarrista ciego* —óleo sobre tabla, de estilizado dibujo, perte-

Estudio para el menú de «Els Quatre Gats». *Pluma y lápiz conte borrado sobre papel. Barcelona, 1899-1900 (46,7 × 30,8 cm). M.P.B.*

Mateu Fernández de Soto y estudio para el menú de «Els Quatre Gats». *Pluma y lápiz sobre papel. Barcelona, 1899-1900. (32,1 × 22,7 cm). M.P.B.*

Croquis para el menú de «Els Quatre Gats». Lápiz sobre papel. Barcelona, 1899-1900. (43 × 31 cm). M.P.B.

Retrato de Juan Vidal y Ventosa. Carboncillo y acuarela sobre papel. Barcelona, 1899-1900. (47,6 × 27,6 cm). M.P.B.

Retrato de Jaime Sabartés sentado. *Acuarela y carboncillo sobre papel. Barcelona, 1899-1900. (50,5 × 33 cm). M.P.B.*

neciente a la colección Bartlett y conservado en el Art Institute de Nueva York—, *El viejo hebreo* —óleo sobre tela, de las mismas características que el anterior, propiedad del Museo de Arte Moderno Occidental de Moscú— y *La familia Soler* —óleo sobre lienzo, de encantadora composición, que se conserva en el Museo de Lieja.

EL «PERIODO ROSA»

El paso del «período azul» al «rosa» conlleva varios cambios en la estética picassiana. Su paleta se aclara y la visión del mundo que ofrece es también menos sombría. En el «período rosa» está presente un sentimiento lúdico, en cierta medida de estirpe cervantina,

Autorretrato. *Lápiz sobre papel. Barcelona, 1899-1900. (33,6 × 23,2 cm). M.P.B.*

Autorretrato y croquis del cartel para la Caja de Previsión y Socorro. *Lápiz y acuarela sobre papel. Barcelona, 1899-1900. (22,3 × 32 cm). M.P.B.*

que se sobrepone en la obra picassiana al medio ambiente hostil. Los modelos son también distintos a los del «período azul». El pintor se esfuerza por «depurar su lenguaje de toda implicación simbólica —dice Alberto Martini—, tendiendo a un límpido clasicismo de formas, que aparecen modeladas por exquisitos perfiles lineales. El dibujo, de instrumento expresivo de un doliente patetismo, se vuelve ahora protagonista de ritmos de armoniosa elegancia, los cuales van acom-

Estudio para el cartel de la Caja de Previsión y Socorro. *Lápiz y pluma sobre papel. Barcelona, 1899-1900. (32,2 × 22,5 cm). M.P.B.*

Lola, la hermana del artista. *Lápiz sobre papel. Barcelona, 1899-1900. (48,4 × 32 cm). M.P.B.*

pañados, en sordina, por un discreto comentario cromático; al artista ha logrado aplacar, por algún tiempo, su violencia emotiva, y encuentra acentos de serenidad y de alegría despreocupada en la representación de la vida del circo, de los acróbatas, de los saltimbanquis y de los jinetes equilibristas».

El «período rosa» se inicia en el verano del año 1904 y se prolonga hasta 1905. Coincide el cambio de la estética picassiana con el hecho de instalar su taller el pintor en el Bateau-Lavoir, en la calle de Ravignan. Es la primera vez que Picasso se establece permanentemente en París y «la correspondencia entre la nueva vida y las modificaciones en la pintura —apunta Pierre Daix— no obedecen al azar. En Picasso la expresión plástica siempre guarda relación con las circunstancias de la vida, es una «manera de llevar su propio dinero», como él mismo dirá». El conocimiento de los hermanos Gertrude y Leo Stein, que se produce por aquella época, constituye un elemento que influyó positivamente en el *modus vivendi* del pintor. Los dos hermanos norteamericanos son personas de sólida posición económica y, a través de ellos, Picasso logra, por primera vez en su vida, sustanciosas cantidades por la venta de sus cuadros.

La transformación estilística que representa en la obra picassiana el «período rosa» se inicia a partir del *Actor,* cuadro pintado en el invierno de 1904 —óleo sobre lienzo actualmente en el Metropolitan Museum de Nueva York—, y concluye con *La familia de los saltimbanquis,* fechada en 1905, óleo sobre lienzo de grandes dimensiones —de la colección Dale— que se conserva en la National Gallery de Washington. Este bellísimo cuadro está justamente considerado como la obra maestra del «período rosa». Representa un descanso en el camino de una trashumante familia de volatineros. Las seis figuras que aparecen representadas en el lienzo —un bufón corpulento, entrado en

Mujer con mantón, sentada. *Carboncillo y pastel sobre papel; barnizado. Barcelona, 1899-1900. (23 × 26 cm). M.P.B.*

Croquis. *Pastel sobre papel. París, 1900. (10,5 × 6 cm). M.P.B.*

Croquis. *Lápiz, acuarela y pastel sobre papel. Barcelona, 1900. (10,5 × 6 cm). M.P.B.*

Croquis. *Pastel sobre papel. París, 1900. (10,5 × 6 cm). M.P.B.*

años, pintado de rojo; un arlequín de romántico talante, con vestimenta esmaltada de polícromos triángulos; un adolescente de escurridizas caderas; dos niños, y una bella joven de falda roja, tocada con una pamela amarilla adornada con flores rojas— están captadas con singular y poética maestría. La atmósfera está impregnada de delicadas tonalidades rosáceas. Todo es equilibrado, sereno, elegantemente bello. Colorido y dibujo forman un conjunto plástico lleno de ritmo.

Otras obras características del «período rosa» son *Las tres holandesas, gouache* sobre papel, pintado el año 1905 en Schoorldam, donde Picasso pasó un mes, que pertenece al Museo Nacional de Arte Moderno de París; *Muchacho coronado de rosas,* pintado al óleo sobre lienzo, que empezó siendo un simple obrero joven y el pintor modificó posteriormente, propiedad de Whitney Museum of American Art (Nueva York); *Los dos hermanos,* óleo sobre lienzo, de arcaizante sencillez e intenso cromatismo de fondo, que se exhibe (como préstamo de la Fundación Staechelin) en el Kunstmuseum de Basilea; *Muchacho desnudo con caballo,* de un fino lirismo cromático contrapunteado por el vigor de los volúmenes, propiedad de Paley (Nueva York); *Desnudo de Fernande Olivier,* que recuerda las figuras del arte ibérico primitivo, propiedad de Zacks (Toronto); *Autorretrato* como *Arlequín en el café,* óleo sobre lienzo, pintura de intenso cromatismo, ambientada en el cabaret «Lapin agile» de Montmartre, cuyo dueño aparece tocando una guitarra al

El abrazo. *Pastel sobre papel. París, 1900. (59 × 35 cm). M.P.B.*

En el camerino. *Pastel sobre papel. París, 1900. (48 × 53 cm). M.P.B.*

Muchacha de blanco junto a una ventana. (Lola en el taller de la Riera de S. Juan). *Oleo sobre lienzo. Barcelona, 1900. (55,5 × 46 cm). M.P.B.*

Ventana. *Oleo sobre lienzo. París, 1900. (50 × 32,5 cm). M.P.B.*

fondo del cuadro, propiedad de Payson (Nueva York); y *Bufón y pequeño acróbata,* carboncillo, pastel y acuarela sobre papel, perteneciente al Museum of Art de Baltimore.

GOSOL, UNA NUEVA AVENTURA PICASSIANA

Hacia finales del verano y principios del otoño de 1906, Picasso se lanza audazmente por un nuevo camino estético que enriquece vigorosamente su producción pictórica. «Teniendo ante los ojos la potencia y la elementalidad plástica del románico catalán y, en especial, de la escultura ibérica prerromana —escribe Alberto Martini—, apunta, de pronto, hacia la abrupta construcción formal de la imagen, estructurándola con una monumentalidad que no se ajusta, en absoluto, a las proporciones clásicas».

Se considera el *Retrato de Gertrude Stein* —empezado en París en el invierno 1905-1906 y rehecho cuando regresó a Gósol —como la primera obra del nuevo período creacional picassiano. Cuan-

Dibujo para la revista «Joventut». Pluma sobre papel rayado. Barcelona, 1900. (13,4 × 17,4 cm). M.P.B.

Autorretrato *(croquis de Oriol Martí, Pompeu Gener y otros personajes) Pluma y lápiz sobre papel. Barcelona, 1900. (32 × 22 cm). M.P.B.*

Estudio de ilustración para «El Clam de les Verges». Lápiz sobre papel. Barcelona, 1900. (32 × 22 cm). M.P.B.

La espera (Margot). *Oleo sobre cartón. París, 1901. (69,5 × 57 cm). M.P.B.*

do la escritora norteamericana oía decir que el retrato no se parecía a ella, rechazaba la crítica afirmando que «la única imagen mía que seré siempre yo» era precisamente aquel retrato pintado por Picasso.
Durante su estancia en Gósol se desarrolla en la pintura picassiana un proceso de intensa concretización. «Picasso —dice Pierre Daix—, en el rostro privilegiado, escogido, de Gertrude Stein, o en el suyo propio, nos propone una lectura en profundidad. Rompe con la apariencia para mantenerse fiel al volumen, pero intenta escapar de la abstracción, de la generalización, de la inexpresión del volumen puro. Desprecia los detalles para conservar la actitud, el aire característico del modelo, su manera de ser, en realidad».
Otra obra característica de este período de retorno a las fuentes —intermedio entre el «período rosa» y el precubismo reflejado en *Les demoiselles d'Avignon*— es el *Autorretrato* pintado en París en el otoño de 1906, que se conserva en el Museo de Arte de Filadelfia (Colección A.E. Gallatin). La figura aparece rodeada por un aire primitivista y está resuelta en equilibrados planos que resaltan los volúmenes. No existe anécdota alguna en este soberbio *Autorretrato,* nada accesorio entorpece la visión plástica restándole vigor a la pintura.
A la misma época —durante la cual Picasso pintó varias obras en Gósol— pertenecen *Desnudo acostado, Mujer con pañuelo en la cabeza, Desnudo de la cabellera, Desnudo con las manos juntas* y *Dos desnudos.* Son todas ellas pinturas unidas por un evidente parentesco estilístico y están insertadas estéticamen-

La Nana. *Oleo sobre cartón. París, 1901. (102 × 60 cm). M.P.B.*

El final del número.
Pastel sobre tela.
París, 1900-1901.
(72 × 46 cm).
M.P.B.

te dentro del proceso de concretización perseguido por Picasso en 1906. Una concentración que, como apunta Daix, significaba «aventurarse por un terreno en el cual toda semejanza con el aspecto abstracto convencional es negada, excluida».

EL CUBISMO PICASSIANO

Picasso que ya era un extraordinario pintor a los veinte años, se fue superando a sí mismo a medida que el tiempo pasaba, hasta llegar a rebasar todas las lindes de la plástica universal y erigirse en firme émulo de los más grandes artistas de todos los tiempos y latitudes. Siempre hay algo de magia en la proteica obra picassiana. Picasso es el taumaturgo mayor de la plástica del siglo XX. Irrumpe en todos los campos del arte y los explora a fondo, apropiándoselos y enriqueciéndolos con su personalísima aportación.

Picasso accede al cubismo tras la larga y tenaz lucha investigadora que representó su cuadro titulado *Las señoritas de Aviñó* (hoy en el Museo de Arte Moderno de Nueva York). «Originariamente —escribe Alberto Martini—, el tema debía ser el de unas prostitutas —en Barcelona había una "casa" en la calle Aviñó, precisamente— comiendo junto a un marinero y a un estudiante, que meditaba sobre su cráneo: un tema, por lo tanto, todavía inmerso en un clima poético de cuño simbolista —aun después de las rupturas producidas por las obras del «período rosa» y de la etapa de transición—, con alusiones a los temas del erotismo, de la muerte y de la evasión. Durante la elaboración de la obra, el tema no sólo se transformó radicalmente, hasta perder toda implicación simbólica, sino que quedó enteramente destruido por el interés aplicado al objeto; es decir, el cuadro como realidad, y como imagen independiente del modo de aparecer las cosas y de la percepción puramente visual». Aquí, en la ela-

Rastaquouères. *Tinta y acuarela papel. París, 1901. (18 × 11,5 cm). M.P.B.*

Desnudo femenino tendido, con el artista a sus pies. *Tinta y acuarela sobre papel. Barcelona, 1901. (17,6 × 23,2 cm). M.P.B.*

Dos mujeres desnudas. *Tinta y lápices de colores sobre tarjetón (cartulina) Barcelona, 1901. (9 × 13,3 cm). M.P.B.*

boración de esta obra precubista, se cumple al pie de la letra el dicho picassiano: «Yo trato de pintar lo que he encontrado y no lo que busco». Lo que encontró en aquella ocasión Picasso fue el camino plástico que le llevaría directamente al cubismo. Al descomponer la realidad en planos, se abrieron de par en par para el pintor malagueño las puertas de una nueva estética. La atmósfera que fue brotando alrededor del pintor como fruto de sus propias investigaciones plásticas mientras trabajaba en *Las señoritas de Aviñó* constituyó, a la postre, el motivo de inspiración que le impuso el cuadro a Picasso. El artista se propuso inicialmente pintar una «cosa» y después le salió otra considerablemente distinta. La obra parece ser que iba a titularse *El burdel de Aviñó,* pero, cuando estuvo terminada, en 1907, el poeta y amigo del pintor André Salmon le puso el título de *Les demoiselles d'Avignon,* con el que es universalmente conocida.

Picasso rompe en este cuadro con los moldes convencionales de la pintura que hasta entonces se había venido haciendo. «La ruptura con la fijeza espacial y temporal de la perspectiva clásica es —dice Pierre Daix— total. Es esta contradicción entre la continuidad del contorno y la discontinuidad de los diferentes aspectos, lo que provoca las «deformaciones». *Las señoritas de Aviñó* afirman la realidad de este problema dejado de lado por el Renacimiento: que la mirada, la persistencia de las impresiones retinianas y el aprendizaje de la visión por la experiencia, nos hacen percibir de cierto modo —o concebir— el dorso, el envés, de los objetos, de los seres. Al espejo de Velázquez, a la luz de Caravaggio, nuestro Picasso se obstina en oponer las propias masas, los volúmenes independientes del plano, así como la naturaleza de la luz».

Era algo insólito. Tamaña audacia plástica no se podía tolerar. La irreverencia picassiana, que se rebelaba contra las, hasta entonces, religiosamente acatadas exigencias de los cánones renacentistas, escandalizó al mundo. Los espectadores de *Les demoiselles d'Avignon* se sentían desconcertados y enfurecidos. Pero Picasso aún había de llegar más lejos, con el cu-

Bodegón. *Oleo sobre lienzo. París, 1901. (59 × 78 cm). M.P.B.*

bismo y después del cubismo. Su capacidad de invención creadora era prácticamente inagotable y llegaría a asombrar a entendidos y profanos en los años siguientes. El cubismo incluso vendría a ser debatido, como tema de orden público, en la Cámara de los Diputados de París en la sesión del 3 de diciembre de 1912, a lo largo de la cual M. Jules-Louis Breton preguntó al Subsecretario de Estado «qué medidas está dispuesto a tomar para que no se repita el escándalo artístico a que dio ocasión el último Salón de Otoño».
La aportación de Picasso al cubismo es determinante. En el camino hacia la experiencia cubista picassiana desempeña un importante papel la pintura de Cézanne. «El punto de vista, evidentemente tema de la perspectiva cezanniana —escribe Pierre Daix—, domina los objetos para descubrirlos mejor: pero Picasso acusa las rupturas con la perspectiva clásica, prestando más atención a la interacción de las formas, utilizando el efecto de refracción en la transparencia de una vaso, los cortes de un embudo sobre unas tazas, para subrayarlo».
Desde 1909 hasta 1912, el cubismo picassiano se caracteriza por la representación objetiva de la realidad asentada sobre los conocimientos intelectuales que

tiene de ella el pintor. Es el llamado *cubismo analítico,* que abre paso, entre 1912 y 1916, a una apertura que articula de forma compleja la estructura plástica de la realidad apoyándose el artista en las relaciones que la misma suscita en su mente, su psicología y su memoria. Esta segunda fase cubista de Picasso, más libre y espontánea que la primera, es el denominado *cubismo sintético.*

Picasso reclama siempre absoluta libertad para su expresión artística. No es capaz de someterse a ningún dogma estético. «El cubismo —dice el propio pintor— no difiere de otras escuelas pictóricas. Los

Autorretrato. *Pluma y acuarela sobre papel. Barcelona, 1901. (20,7 × 13,1 cm). M.P.B.*

Retrato de Joaquín Mir. *Lápiz y acuarela sobre papel. Barcelona, 1901. (20,8 × 15,5 cm). M.P.B.*

Azoteas de Barcelona. *Oleo sobre lienzo. Barcelona, 1902. (57,8 × 60,3 cm). M.P.B.*

Retrato azul de Jaime Sabartés. *Oleo sobre lienzo. París, invierno 1901-1902. (46 × 38 cm). M.P.B.*

Retrato de Sebastián Junyent. *Oleo sobre lienzo. Barcelona, 1902, (73 × 60 cm). M.P.B.*

mismos principios y elementos son comunes a todas ellas. El hecho de que el cubismo haya sido incomprendido durante mucho tiempo (...) no significa que carezca de valor. Tampoco el que yo no lea alemán, porque las páginas escritas en este idioma sólo son para mí *negro sobre blanco,* significa que la lengua alemana no existe; ni culpo al autor de esas páginas, sino que me culpo a mí mismo. (...) El cubismo no es una semilla ni un arte en gestación, sino una fase de formas primarias, y estas formas realizadas tienen derecho a vivir con existencia propia. (...) Se ha querido explicar el cubismo recurriendo a las matemáticas, a la geometría, la trigonometría, la química, el psicoanálisis, la música, y qué sé yo cuantas otras cosas. Todo esto es pura literatura. Nosotros no vemos en él más que un medio de expresar lo que nuestros ojos y nuestras mentes perciben, con todas las posibilidades que en sus propias cualidades encierran el dibujo y el color. Aquí encontramos una fuente de placeres inesperados, de descubrimientos».

Queda bien claro, pues, que Picasso se sintió siempre —también en su fase cubista— pintor y sólo pintor. «Yo —afirma— he pintado siempre para mi época. Y nunca me ha embarazado el espíritu de búsqueda. Lo que veo lo expreso, a veces de maneras diferentes. No dictamino ni hago experimentos. Cuando tengo algo que decir, lo digo como creo que debo hacerlo. No hay arte de transición. Lo que hay es artistas más o menos buenos».

Entre las obras cubistas de Picasso podrían citarse *Naturaleza muerta* —Museo de Bellas Artes de Basilea— pintada en 1908, bajo la influencia de Cézanne y que constituye una muestra de los primeros pasos del artista ya dentro del cubismo; *El guitarrista* —Museo Nacional de Arte Moderno de París—, óleo sobre lienzo (1909-1910); *Bouteille de Bass* —Galería Beyeler de Basilea—, óleo sobre lienzo (1912); *El aficionado* —Museo de Bellas Artes de Basilea—, cuadro pintado en Sorgues en 1912, en el que aparecen encima de una pequeña mesa el periódico titulado «El Torero» y una banderilla; *Le Vieux Marc* (1912-1913), óleo sobre lienzo perteneciente al Museo Nacional de Arte Moderno de París; *Mujer en camisa, sentada en un sillón,* obra de 1913 —Colección L. Pudelko Eichmann, Florencia—, considerada como una de las obras maestras del cubismo; *El violín* —Colección Siegfried Rosengart, Lucerna—, tam-

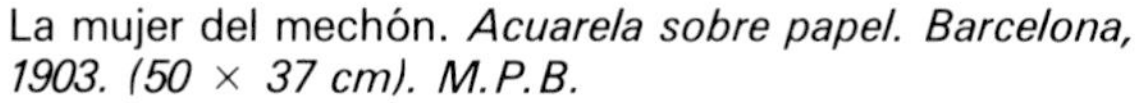

La mujer del mechón. *Acuarela sobre papel. Barcelona, 1903. (50 × 37 cm). M.P.B.*

Retrato de Sebastián Junyer. Oleo sobre papel. Barcelona, 1902-1903. (56 × 46 cm). M.P.B.

bién de 1913, pintado al óleo sobre tela, obra característica de la fase picassiana del cubismo sintético, en la que está presente una firme voluntad de objetividad y en cuya superficie aparecen papeles pegados *(papiers collés); Verre, Bouteille de Vin, Journal sur une Table* —Colección Jean Dalsace, París—, *collage* con dibujo, fechado en 1914; *Purgativo* —Galería Jeanne Bucher, París—, *papiers collés* y *gouache* con carboncillo, también de 1914, o *Guitarra, calavera y periódico* —C. M. H. Bergruen, París—, óleo sobre tela, 1914.

PICASSO Y EL SURREALISMO

El genial pintor malagueño no fue ajeno a ningún movimiento de vanguardia surgido a lo largo de su dilatada vida. No lo podía ser un artista de su inagotable capacidad creadora. Pero la propia dinámica de la autenticidad picassiana imposibilitaba su inserción absoluta en ninguna corriente estética, su sumisión a postulados teóricos más o menos dogmáticos, su entrega artística a credo alguno. El tomaba de aquí y de allá lo que consideraba útil y necesario para expre-

Maternidad. *Pastel y carboncillo sobre papel. Barcelona, 1903. (46 × 40 cm). M.P.B.*

El loco. Acuarela sobre papel. París, 1904. (85 × 35 cm). M.P.B.

sarse del modo más rotundo y persuasivo posibles. Aquellos elementos plásticos de innovación artística surgidos a su alrededor los hizo suyos, personalizándolos, para vitalizar y renovar su propia obra.
Es cierto que Picasso —como dice Alberto Martini— «recibió una notable aportación de ideas, procedente de las contemporáneas indagaciones superrealistas, en especial en su asiduo trato con Eluard y Breton; pero fue una relación recíproca, pues precisamente los pintores superrealistas, sobre todo Marx Ernst y Miró, obtuvieron un gran provecho de la obra picassiana. Para el pintor español, el Superrealismo es un estímulo que incitaba al pensamiento a liberarse de las estructuras cognoscitivas tradicionales, esfuerzo que él había iniciado, con intuición feliz, en los años de la preguerra (...); es un acicate para la exploración de su mundo interior, del patrimonio secreto del subsconsciente, en sus componentes privados y colectivos. A los superrealistas, Picasso les ofreció una lección de lenguaje, una importante enseñanza sobre la libre instrumentación de las formas plásticas, en obediencia a una elaboración mental de la realidad, en la conciencia de que las realidades poseídas son únicamente las que habitan en el interior, mientras que todo lo que está fuera sólo se puede conocer a través de una operación representativa, que, en el artista español, no se aplica a la apariencia de los objetos sino a su función mental y emocional». La cita es larga, pero tiene la ventaja de explicar meridianamente la índole de las relaciones mantenidas por Picasso con el proceso creador surrealista. El propio Breton reconoció, por otra parte, la deuda que el surrealismo había contraído con Picasso al afirmar que, sin la exploración plástica del malagueño, la partida de los surrealistas «se habría, por lo menos, si no perdido, aplazado».

La comida frugal. *Aguafuerte. París, 1904. (50,9 × 41 cm). M.P.B.*

Arlequín. *Oleo sobre lienzo. Barcelona, 1917. (116 × 90 cm). M.P.B.*

No se puede hablar, en rigor, de un Picasso surrealista. El pintor estuvo en todo momento fuera del movimiento capitaneado por André Breton. Coincidió con los surrealistas en determinados aspectos relacionados con la génesis del proceso creador, pero nunca siguió las directrices bretonianas, sino las que le dictaba su propia sensibilidad, que era demasiado rica para someterse a dictados ajenos. «Picasso, lo mismo que los elementos más jóvenes del movimiento surrealista —dice Pierre Daix—, lucha contra una realidad intolerable, inaceptable. Y esto en el preciso momento en que experimenta como nunca el atractivo de la belleza, el deseo de cantar a su mujer, a su hijo, a todos los goces del mundo. Ante esto, resulta absurdo el intentar oponer la reconciliación con la realidad a la evasión, la lógica a los monstruos. Coexisten en Picasso, como en un Paul Eluard, que va a marcharse a la Polinesia, como en el propio movimiento surrealista que no se disociará hasta más tarde. Poco a poco los interlocutores de Picasso cambian. A Gaugnin y al aduanero Rousseau, siguen Poussin e Ingres a la razón ibérica o negra, los impulsos micénicos, los sueños de Jerónimo Bosch. Pero todo ello en la continuidad, a la vez, de la obra y del diálogo con los precursores, en la unidad del pintor que no se dispersa ni reniega de sí mismo, aunque se corrija, se amoneste y se critique implacablemente».

Un vigoroso sentimiento lúdico —en todo momento presente, más o menos clara e intensamente, en la obra picassiana— impulsa al pintor en el momento en que se siente atraído por la libertad expresiva característica del surrealismo. Por otro lado, no hay que olvidar que Picasso ha ido ampliando los caminos que sigue su grandiosa aventura plástica de tal forma que, cuando brota la eclosión surrealista precisamen-

Retrato de la señora Canals. *Oleo sobre lienzo. París, 1905. (88 × 68 cm). M.P.B.*

El Paseo de Colón. *Oleo sobre lienzo. Barcelona, 1917. (40,1 × 32 cm). M.P.B.*

La salchichona. *Oleo sobre lienzo. Barcelona, 1917. (116 × 89 cm). M.P.B.*

te, la propia intensidad con que ha trabajado a lo largo del primer cuarto del siglo XX ha llegado casi a agotar los resortes expresivos por él utilizados. Es entonces cuando echa mano de un nuevo instrumento para impulsar su propia creación artística: el monólogo interior. Ese monólogo interior coincide con la que se considera como faceta surrealista de Picasso.

En 1924 se hizo público el *Manifiesto del surrealismo,* que citaba, entre los pintores que «podrían pasar por surrealistas», a Uccello, Seurat, Moreau, Matisse, Derain, Picasso, Braque, Duchamp, Picabia, Chirico, Klee, Man Ray, Max Ernst y Masson. El primer artista contemporáneo que, para aclarar el concepto de «modelo interior» —dice José Pierre—, citó *Le Surréalisme et la Peinture,* estudio de André Breton aparecido en forma de libro en 1928 y publicado anteriormente en «La Révolution Surréaliste», revista que salió desde 1924 hasta 1929, dirigida primero por Naville y Péret y después, a partir del número 4, por el propio Breton—, el primero que «halló de verdad la razón para pintar», fue Picasso. «Dependía de la voluntad de este hombre que se aplazase, o quizá se perdiese la partida». «Con ello se subrayaba sin equívocos la repercusión que sobre la totalidad del surrealismo tuvo el cubismo de Picasso, repercusión que aún hoy sorprende a algunos historiadores de arte para quienes lo único que puede explicar el fenómeno cubista es la obra de Cézanne».

Entre las obras picassianas que suelen ser consideradas como surrealistas figuran las tituladas *Tres bailarinas* —que en 1965 pertenecía a la colección del propio Picasso—, cuadro pintado en 1925, cuya estética está inserta dentro del llamado «monólogo interior»; *Naturaleza muerta con cabeza antigua* —Museo Nacional de Arte Moderno de París—, que data también de 1925; *El estudio* —Museo de Arte Moderno de Nueva York—, lienzo de 1927-1928; *Mujer sentada al borde del mar* —Museo de Arte Moderno de Nueva York—, lienzo fechado en 1929; *Mujer delante de un espejo* —Museo de Arte Moderno de Nueva York—, tela pintada en 1932; y *La musa* —Museo Nacional de Arte Moderno de París—, lienzo de 1935.

Personaje cubista. *Oleo sobre lienzo. Barcelona, 1917. (116 × 89,2 cm). M.P.B.*

Frutero. *Oleo sobre lienzo. Barcelona, 1917. (40 × 28,1 cm). M.P.B.*

Figura en un sillón. *Oleo sobre lienzo. Barcelona, 1917. (92,5 × 64,4 cm). M.P.B.*

Blanquita Suárez. *Oleo sobre lienzo. Barcelona, 1917. (73,3 × 47 cm). M.P.B.*

PICASSO Y EL ENVES DE LOS MITOS PICTORICOS

Durante una temporada —1953— Picasso pinta una serie de cuadros en los que vuelca una fiereza inusitada. Se diría que el artista se siente incómodo consigo mismo y que esta incomodidad, este desacuerdo interior, se reflejan en sus obras. De 1953 datan pinturas como *Cabeza de mujer inclinada, Torso de mujer, Mujer sentada, Mujer y perro sobre fondo azul* y *Mujer con sombrero.* Son obras en las que el pintor parece gozarse mostrándose cruel con los pinceles en la mano.

También es del mismo año el retrato de Stalin, hecho para las *Lettres Françaises,* revista a cuyo frente se hallaba a la sazón el poeta comunista Louis Aragon. Picasso utilizó una fotografía como modelo «y el retrato de Stalin joven que envía —dice Pierre Daix— es del estilo de sus retratos de Beloyannis o de Henri Martin. La publicación causa el mismo efecto que una

Personaje con frutero. *Oleo sobre lienzo. Barcelona, 1917. (100 × 70,2 cm). M.P.B.*

Retrato de Jaime Sabartés con gorguera y sombrero. *Oleo sobre lienzo. Royan, 1939. (46 × 38 cm). M.P.B.*

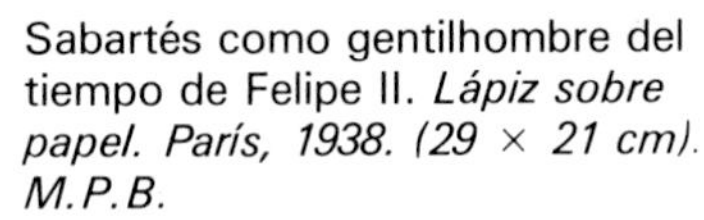

Sabartés como gentilhombre del tiempo de Felipe II. *Lápiz sobre papel. París, 1938. (29 × 21 cm). M.P.B.*

Retrato de Sabartés con gorguera. *Lápiz sobre papel. París, 1938. (36 × 27 cm). M.P.B.*

Retrato de Jaime Sabartés con hábito de monje. *Lápiz sobre papel. París, 1938. (36 × 27 cm). M.P.B.*

bomba. Se ceban igualmente en Picasso los que ven en el retrato un atentado a la memoria de Stalin y los que consideran su muerte como un día fausto. Aunque el retorno de Maurice Thorez a Francia, a mediados de marzo, pone fin a los ataques del Partido Comunista contra Picasso y Aragon, el aislamiento del primero es muy grande durante esta primavera». Hay que tener en cuenta que Picasso había sido considerado como un lujo y un honor por los comunistas franceses. El pintor se limitaría a comentar el incidente con cierta displicencia: «Había llevado mi ramo de flores al entierro. No ha gustado. Esto suele ocurrir. Pero de ordinario no se insulta groseramente a la gente porque sus flores no gusten».

Los comunistas franceses protestan porque Picasso presentaba un Stalin de mirada cruel. ¿Es que la crueldad estaliniana puede ponerla nadie en duda? Tampoco les gustaba que el pintor lo representase como étnicamente asiático. El autor del cuadro se encogió de hombros ante los reproches comunistas y le comentó a Pierre Daix que había tenido la idea de colocar una corona de flores sobre la cabeza de Stalin. «Pero —añadió— hubiera sido lo mismo. Todo habría sido igual. Tampoco lo habrían soportado. También había pensado dibujarlo desnudo. Los héroes siempre están desnudos. Te imaginas, si lo hubiese dibujado completamente desnudo... Es así; pero ya verás —concluyó cáusticamente—, más adelante, para

22 avril
43
Picasso

La Minotauromaquia. *Aguafuerte. París, 1935. (49,8 × 69,3 cm). M.P.B.*

ilustrar los artículos de diccionario aprovecharán mi dibujo».

Pasada la crisis de 1953 —año durante el cual Picasso fue acerbamente criticado desde todos los frentes—, el pintor eleva de nuevo su vuelo plástico y se lanza de lleno por un camino inédito creacionalmente hasta entonces. Desde 1954 hasta 1960, Picasso inicia una serie de ejercicios artísticamente trascendentales sobre *Mujeres de Argel,* cuadro de Delacroix; *Las Meninas,* de Velázquez; y *Déjeuner sur l'herbe,* de Manet. Picasso acomete en estos originales ejercicios plásticos la arriesgada empresa artística de mostrar el envés de los grandes mitos pictóricos. Se trata de una especie de apasionados debates de dialéctica plástica entre Picasso —por un lado— y Delacroix, Velázquez y Manet —sucesivamente, por el otro— de transcendental interés para el conocimiento de la génesis de la creación artística.

Delacroix pintó sus *Mujeres de Argel* en 1834 y posteriormente, en 1849, hizo un nueva versión, en la que

◁ Florero. *Gouache sobre papel. París, 1943. (65 × 49,5 cm). M.P.B.*

no está presente la rosa que una de las mujeres llevaba en el cuadro anterior. Picasso se inspira en el cuadro de Delacroix, teniendo asimismo muy en cuenta el titulado *Odaliscas* de Matisse, para realizar sus interesantes experiencias sobre el tema, mostrándolo por el lado opuesto. Comentando su propia serie sobre *Mujeres de Argel,* el pintor le dirá a Penrose: «A su muerte, Matisse me ha legado sus *Odaliscas*». Anteriormente, en 1932, Picasso había dicho: «En el fondo, todo depende de uno mismo. Es un sol en las entrañas con miles de rayos. El resto no es nada. Sólo por eso Matisse es Matisse, por ejemplo. Porque él lleva ese sol dentro».

El mismo impulso inquisitivo lleva a Picasso a enfrentarse dialécticamente con Velázquez. Su diálogo plástico se desarrolla a través de *Las Meninas.* La correspondiente serie picassiana enriquece actualmente el Museo Picasso de Barcelona. En *Las Meninas* —dice Alberto Martini— «se delinea ya un motivo que, en los años más próximos a nosotros, vuelve a constituir

Composición con florero. *Litografía en colores. París, 1947. (45 × 60 cm). M.P.B.*

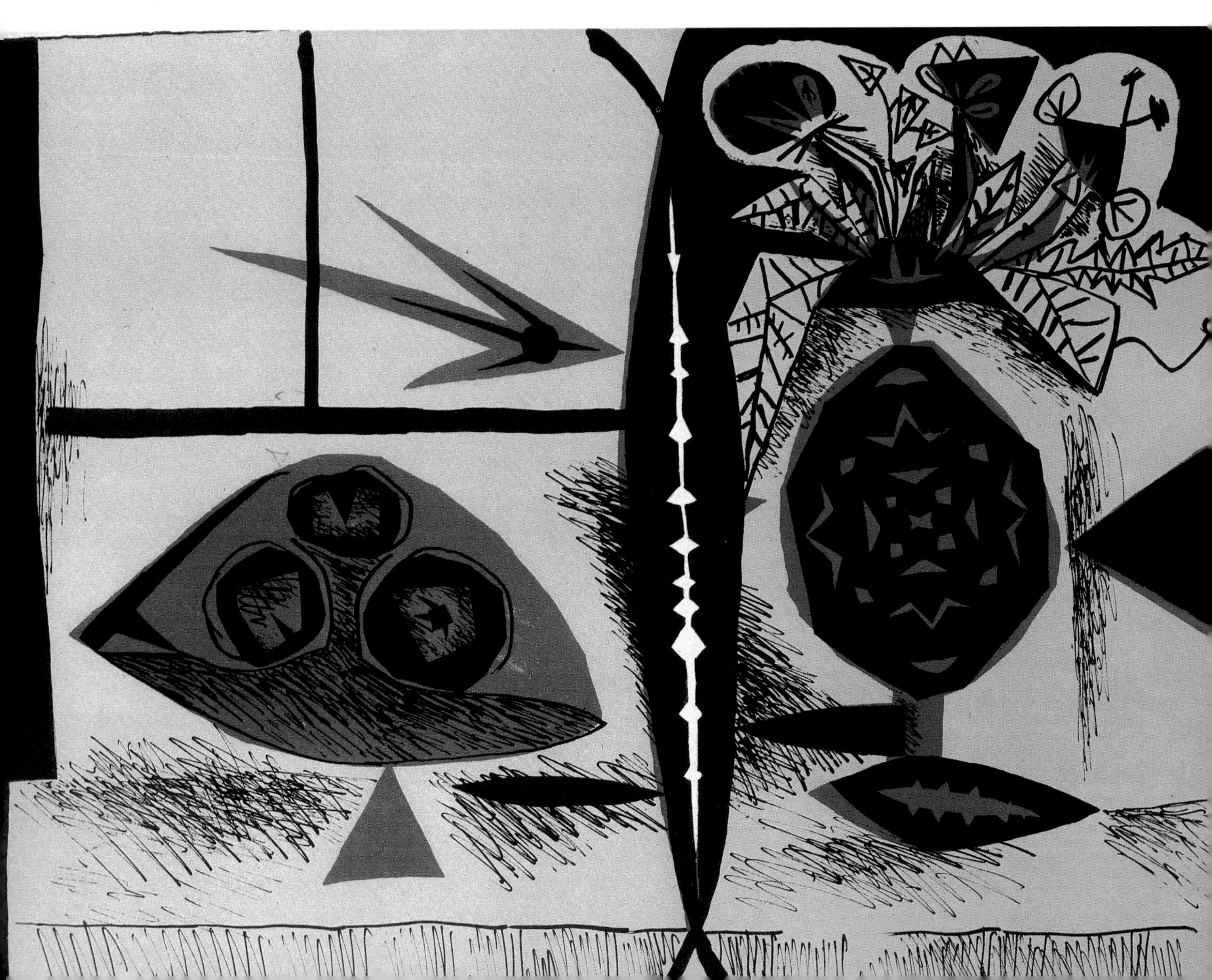

Centauro tocando la flauta. *Aguafuerte. 1948.* *(32 × 25 cm). M.P.B.*

Centauro moribundo. *Aguafuerte. 1948.* *(32 × 25 cm). M.P.B.*

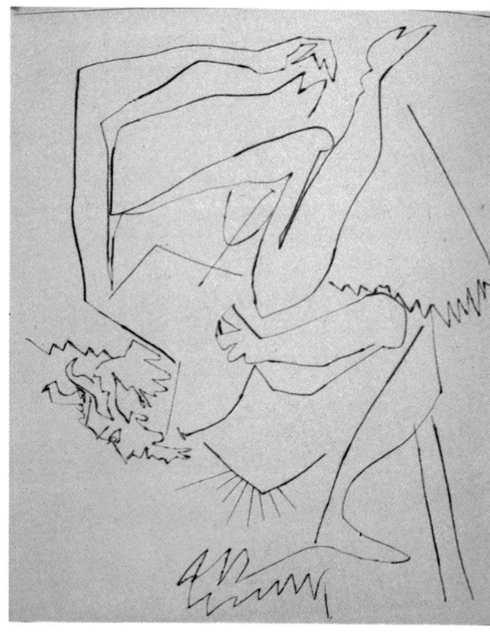

Centauro y carro. *Aguafuerte. 1948. (37 × 25 cm). M.P.B.*

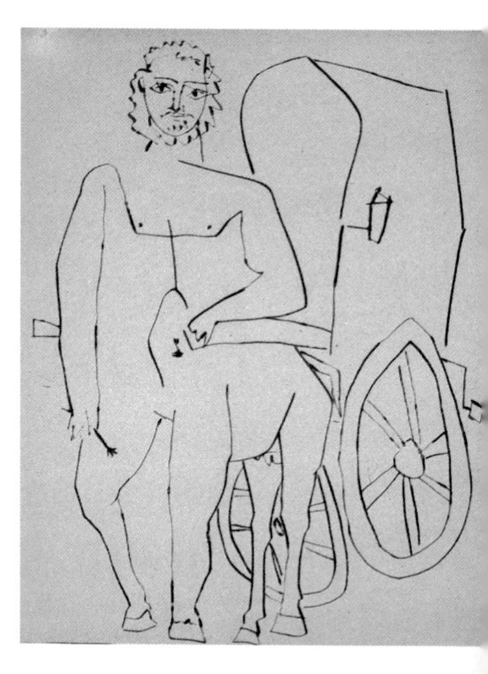

Escenas del nacimiento de un centauro. *Aguafuerte. 1948.* *(33 × 25 cm). M.P.B.*

una obsesión para Picasso: la relación entre el artista y el modelo; Velázquez, como buen realista, huye de la arbitrariedad de representar simultáneamente su persona y los modelos (los reyes), en esa tela, e, ingeniosamente, los sitúa en el cuadro a través de un espejo que refleja sus figuras (a pesar de que, no obstante, huye de la arbitrariedad de representarse a sí mismo y al ambiente en que estaba pintando, tal como lo veían sus modelos). Picasso, cuyo realismo ha roto ya la servidumbre de la exterioridad, no recurre al sutil expediente del espejo; para probarse a sí mismo que todo objeto es una entidad que pertenece a la esfera del pensamiento, y no a la apariencia de lo real, se pinta directamente frente al modelo, casi siempre una mujer, evidenciando la distancia que separa el aspecto exterior de la cosa real, de la imagen pintada». La serie de *Las Meninas* de Picasso pone de relieve,

La paloma. *Litografía. 1949. (54,5 × 70 cm). M.P.B.*

una vez más, que el gran pintor domina todos los resortes de la técnica pictórica moderna. Llevado por su nunca desmentido sentido lúdico, juega con los motivos e, igual que hacen los niños con los juguetes, les saca las tripas al aire, consiguiendo unos efectos plásticos de graciosa originalidad. La serie de *Las Meninas,* pintada durante 1957, constituye uno de los más sorprendentes y novedosos logros de la pintura moderna.

En 1960 incide Picasso en el juego plástico iniciado con Delacroix y continuado con Velázquez y pinta su *Déjeuner sur l'herbe* —propiedad del artista en 1971—, que inicia el ciclo inspirado en el conocido cuadro de Manet. Al año siguiente pinta otro cuadro con el mismo título —perteneciente a la Colección Rosengart, Lucerna—, del que posteriormente haría alrededor de veinticinco variantes, sin contar los numerosos dibujos de los correspondientes bocetos. La

La paloma. *Litografía. 1947. (27 × 45 cm). M.P.B.*

composición de los personajes de esta serie es más compleja y más oscura que las de *Mujeres de Argel* y *Las Meninas.*

Según Pierre Daix, «Manet es un antiguo compañero de los sueños de Picasso, y esta primera serie —Daix se refiere a los dibujos inspirados sobre el cuadro de Manet a principios de agosto de 1959 en Vauvenargues— muestra la libertad de las «discusiones entre cómplices». Los dibujos en negro, así como los dos en color, tienen en común el énfasis con que se ha tratado un personaje al cual Manet ya concedió cierta importancia: la mujer en camisa que se baña los pies en el río. Pero Picasso la toma, se la apropia, la muestra desnuda». Es una imagen recreada varias veces por Picasso, por ejemplo en *Mujer en camisa* o en *Mujer lavándose los pies.*

PICASSO GRABADOR

La gran personalidad artística de Pablo Picasso no se circunscribe exclusivamente al campo de la pintura. Ni mucho menos. Hay también un Picasso grabador, un Picasso ceramista y un Picasso escultor de inegable, extraordinaria calidad e importancia en cada una de estas facetas plásticas.

El corpus de la obra gráfica picassiana sería suficiente por sí solo para que el artista hubiese pasado a la Historia de las Artes como una de las grandes figuras de la plástica universal. A lo largo de su vida, una vida prolongada y fecunda como pocas, Picasso grabó gran cantidad de obras magníficas sobre los temas más diversos: mitológicos, taurinos, las imágenes de sus diversas mujeres, motivos eróticos, escenografía del Siglo de Oro español, ilustraciones de libros... Utilizó las técnicas más variadas: el linóleo, el cobre, la piedra, la madera, el celuloide son trabajados por el

Mujer de perfil y sentada. *Aguafuerte. (Prueba de plancha anulada). 1951. (14 × 10 cm). M.P.B.*

La Corrida. *Pastel y gouache sobre tela. Barcelona, 1900. (16,2 × 30,5 cm). Museo Cau Ferrat, Sitges.*

artista con el buril, la pluma, el pincel o el lápiz grueso. Aguafuertes, aguatintas o puntasecas, todas las obras gráficas de Picasso llevan el sello de su inconfundible estilo.

El genial pintor sintió desde muy joven una viva atracción por el grabado. Trabajó también incansablemente como grabador. En algo más de seis meses salen de su taller de Mougins en el año 1968 unos 350 grabados. Y, al morir, legó a la humanidad una obra gráfica comparable a las de Durero, Rembrandt o Goya. Picasso contribuyó decisivamente a la gran revolución moderna de las técnicas de la estampación. Las manejó todas en colaboración con los mejores artesanos de su época y llegó a dominar de forma absoluta todos sus resortes expresivos y secretos técnicos. Igual que se observa un su obra pictórica, Picasso estuvo renovándose constantemente como grabador. Su insaciable curiosidad y su ilimitada capacidad creadora están igualmente presentes en su obra gráfica, que sitúa a Picasso a la cabeza de los grabadores del siglo XX.

Su inigualable maestría —una maestría que tiene mucho de magia— como dibujante se proyecta a la hora de ponerse a grabar. El resultado es que los grabados de Picasso resultan siempre obras no sólo resueltas perfectamente por lo que respecta a la técnica, sino al mismo tiempo algo vivo, en constante movimiento, ungido por la gracia del genio creador picassiano.

Según se ha dicho, Picasso es autor de más de 2.200 piezas en el campo del grabado y de la estampa. Tan elevado número de obras originales acredita la portentosa capacidad de creación que poseía aquel monstruo —no hay otro calificativo más ajustado para definir el genio picassiano— de la plástica del siglo XX.

Lo mismo que en la pintura, Picasso huye en su obra gráfica de toda retórica y se aproxima a los cauces de la vida, inspirándose en motivos estrechamente vinculados a la condición humana. Los mitos —con todo el trasfondo humano que contienen las correspondientes fábulas— están a menudo presentes en los grabados picassianos, como, por ejemplo, en los titulados *Monstruo contemplado por cuatro niños* —fechado en 1933—, *La orgía del minotauro* —del mismo año—, *Muchacha sentada contemplando al minotauro* —también de 1933— o el *Minotauro ciego* (1935). «El minotauro —dice Pierre Daix— encarna un nuevo grado de libertad de Picasso con respecto a las limitaciones que su propia búsqueda había producido».

Picasso se familiarizó con la xilografía y el monotipo desde 1899, fecha de su grabado *El Zurdo,* realizando *Comida Frugal* en 1904. Más tarde, en 1919, se aficiona a la litografía. El procedimiento del aguatinta empieza a utilizarlo en 1934 y en 1939 hace sus primeras obras con linóleo. Como se ve, no hubo precipitación alguna en la formación del Picasso grabador, lo que no quiere decir en modo alguno que no trabajase intensamente en esta faceta suya como artista siempre ávido de metas inéditas.

De la obra gráfica de Picasso descuellan las láminas

Suerte de varas. *Aguafuerte. (Prueba de plancha anulada). 1957. (20 × 30 cm). M.P.B.*

Toros en Vallauris. *Linóleum en colores. Vallauris, 1955. (66,5 × 52 cm). M.P.B.*

Toros en el campo. *Aguafuerte. 1957. (20 × 30 cm). M.P.B.*

Paisaje. *Oleo sobre lienzo. Cannes, 1957. (16 × 22 cm). M.P.B.*

Los pichones. *Oleo sobre lienzo. Cannes, 1957. (100 × 80 cm). M.P.B.*

que forman la serie de *Los saltimbanquis,* realizadas en 1913; *La obra maestra desconocida* de Balzac, hecha en 1927 y publicada en 1931, lo mismo que *Las Metamorfosis* de Ovidio; la *Suite Vollard,* integrada por grabados hechos en 1934; *Poemas y Litografías,* de 1949; y *La Tauromaquia o el Arte de Torear, de José Delgado* (Pepe Illo), serie publicada en Barcelona el año 1959 por Gustavo Gili. Otros grabados picassianos importantes son los dedicados a la mujer y al amor, al artista y su modelo, a la muerte, al placer de vivir y a los temas eróticos, tratados por el autor con insuperable y pícara gracia expresiva y un portentoso dominio técnico.

PICASSO CERAMISTA

En 1947, a sus sesenta y seis años de edad, Picasso, siempre milagrosamente joven humana y artísticamente, inicia un nuevo aprendizaje plástico: el de ceramista. Un año antes, el pintor había regresado a Vallauris en busca de un viejo alfarero que conociera con Paul Eluard años atrás, cuando aún no había estallado la guerra. Los hornos habían tenido que ir cerrando uno tras otro y Suzanne y Georges Ramié, que habían instalado uno eléctrico, intentaban modernizar la fabricación de piezas de cerámica.
Una tarde del mes de agosto de 1947, Picasso

El piano. *Oleo sobre lienzo. Cannes, 1957. (130 × 96 cm). M.P.B.*

Retrato de Jacqueline. *Oleo sobre lienzo. Cannes, 1957. (116 × 89 cm). M.P.B.*

—escribe el propio Georges Ramié— «fue al Golfo Juan, a casa de un amigo grabador, el padre Fort. Muy bien habría podido, aquel día, ir a la playa, a visitar a otros amigos o quedarse en su taller para trabajar en la serenidad silenciosa que le es tan propicia siempre. Pero, sin duda, en los escondidos rincones de su inconsciente, sentía que había llegado la hora precisa para que un destino se cumpliese. Se hablaba ya, con mucho interés, de la exposición de alfareros de Vallauris: siempre ávido de conocerlo todo, cedió al deseo de visitarla».

Picasso se sintió profundamente atraído por las piezas expuestas. Y a él principalmente se debería el resurgimiento de la tradición alfarera de Vallauris. Desde que Picasso se sentó al torno del alfarero para moldear las piezas, ya no se detuvo: avanzó, como lo había hecho por otros caminos plásticos, con vigoroso entusiasmo y constante dedicación, hasta convertirse en un consumado ceramista. Se enamoró de esa materia misteriosa —como llama Ramié a la masa que moldea el alfarero— que se revela «tan sensible al dedo que la desflora», pero que reacciona «con tanto rigor a las menores variaciones higrométricas; tan reacia ante los que la afrontan sin comprenderla, pero tan dócil para quien la trata con respeto; tan frágil cuando se esparce, deslumbrada por su reciente metamorfosis, pero que debe aún purificarse en los horrores del fuego para salir de él incombustible y perecedera». (...) Había aquí más cualidades atrayentes y temibles riesgos de los que eran precisos para tentar el espíritu aventurero de Picasso».

Al genial artista le gustaba aquella materia moldeable, que parecía sensibilizarse humanizadamente al contacto de los dedos que la acariciaban. Los dedos de mago de Picasso hacían brotar de la materia formas de una sugestiva y original belleza. La materia, agradecida, se mostraba generosa, al ser tratada con amor por las manos picassianas, tan expertas en quehaceres artísticos y amorosos. Para Picasso fue un descubrimiento deslumbrador el conocimiento de sus cualidades de ceramista. El no había considerado nunca la cerámica como un arte menor. «Toda su obra anterior a 1947 —dice Pierre Daix— prueba que

las cerámicas preheleníticas o griegas, así como las cerámicas de las civilizaciones americanas, son para él temas de meditación y de estudio». Pero, en todo caso, hasta 1947, las piezas de cerámica eran vistas, aunque con simpatía cuando no decidida admiración, desde fuera, como espectador que las goza desde la propia sensibilidad, pero después, convertido él ya también en ceramista, vio la grandeza y posibilidades de este antiquísimo arte desde dentro, es decir como artista que participa en el placer de crear obras suyas. La cerámica nunca fue una mera distracción para Picasso, sino una ocupación artística a la que se entre-

Las meninas. *Oleo sobre lienzo. Cannes, 1957. (194 × 260 cm). M.P.B.*

Las meninas *(conjunto). Oleo sobre lienzo. Cannes, 1957. (129 × 161 cm). M.P.B.*

gaba, como hacía en todas su facetas creadoras, con todas las facultades de su espíritu. Como dice Georges Ramié, captó «ese genio del fuego que desde el principio le había fascinado, para mantenerlo cautivo en sus hogares. Y si se ha hablado con frecuencia de su mirada penetrante, es preciso decir, en efecto, que posee esas pupilas invencibles capaces de afrontar sin desfallecer, durante la vigilancia del horno, el dardo agudo de la llama que, sobrepasados los mil grados, fulgura con un blanco de nieve insoportable».

Durante la que puede considerarse como la primera fase del Picasso ceramista salen de sus manos bellos platos y otras piezas de formas tradicionales. Picasso no se aparta en ese período demasiado de las tradiciones alfareras de Grecia, Micenas o la propia de Vallauris, pero se adivina en estas primeras piezas pi-

Las meninas. *Oleo sobre lienzo. Cannes, 1957. (129 × 161 cm). M.P.B.*

cassianas una tensión creadora que le impulsa la búsqueda de caminos inéditos. «Picasso —comenta Pierre Daix— ensaya todos los recursos técnicos, los lleva a sus últimos extremos, aprovecha los fracasos, los accidentes, lo imprevisto, como siempre; pero en cerámica nunca se sabe si la pieza «resistirá» la cocción, ni qué resultará de los barnices. Los resultados son apasionantes, sobre todo para el que se preocupa de captar las luchas de Picasso con las exigencias de la materia que emplea. En esta nueva actividad se sirve de las formas utilitarias: fuentes, platos, jarros, para «compaginar» las ideas que dichas formas sugieren, de ahí las fuentes-sol, las fuentes-plazas de toros, los búcaros-figulina, los jarros-cabeza. Hasta las pruebas de habilidad hechas con tanta soltura que parecen naturales, el jarrón-estatuilla de mujer que en su asa-brazo sostiene otro jarrón más pequeño, los jarros-estatuillas de mujer arrodillada, son maravillas de simplicidad».

Picasso dominó en seguida las técnicas alfareras y se permitió hacer las más insólitas y graciosas formas en su piezas de cerámica. En su segunda fase creadora como alfarero se observa una preocupación por dar relieve a los volúmenes. Las formas brotan incluso gratuitamente —aunque siempre resulten sugestivas—, supeditadas al valor plástico jerarquizador del volumen. Se trata —aclara Ramié— de «composiciones de estilo, de arquitectura muy estricta aunque de realización a veces bastante ardua: conjuntos cónicos de ojos descentrados, estructuras compuestas por elementos sin finalidad, haces de formas dislocadas. Es cierto que todas las facilidades ofrecidas por la plasticidad de la pasta cerámica fueron puestas a contribución para crear esos volúmenes que se revelan como piezas de virtuosismo por su construcción sorprendente».

De estos experimentos picassianos nacieron piezas de deslumbrante originalidad: bestias fantásticas, híbridas, de estirpe insobornablemente picassiana. Son sueños del artista plasmados en cerámica: centauros, cabras monstruosas, aves de presa de inquietante hieratismo, toros de acometedores y gigan-

Las meninas *(conjunto). Oleo sobre lienzo. Cannes, 1957. (129 × 161 cm). M.P.B.*

Las meninas *(conjunto, excluido Velázquez). Oleo sobre lienzo. Cannes, 1957. (130 × 96 cm). M.P.B.*

Las meninas *(María Agustina Sarmiento). Oleo sobre lienzo. Cannes, 1957. (46 × 37,5 cm). M.P.B.*

Las meninas *(Infanta Margarita María). Oleo sobre lienzo. Cannes, 1957. (46 × 37,5 cm). M.P.B.*

tescos cuernos. Y también palomas, esas palomas tan queridas por Picasso, en diversas actitudes, siempre simbólicamente pacíficas.

Entre la gran cantidad de piezas de cerámica moldeadas por Picasso, tal vez no resulta ocioso citar las tituladas *El buitre* —fechada en 1947 y existente en el Museo de Antibes—, *Rostro lunar sobre fondo azul* —1947, Museo de Antibes—, *Rostro faunesco* —1948, Museo de Antibes—, *El picador* —1948, Museo de Antibes—, *El centauro* —1948, Colección particular—, *Toro* —1948, Museo de Antibes—, *La paloma* —1949, Colección particular— y *Lechuza con las alas desplegadas,* obra de 1957 (C. particular).

PICASSO ESCULTOR

El pintor malagueño siempre experimentó una viva necesidad de valorar adecuadamente los volúmenes en su obra plástica y esto no sólo en sus esculturas, sino también en sus pinturas y cerámicas. Precisamente en la época en que pintó el *Retrato de Gertrude Stein* y su *Autorretrato,* Picasso se preocupó primordialmente por lograr en su obra pictórica una acentuación de la ilusión de relieve sobre la superficie plana y, como dice Pierre Daix, su «voluntad de pintar la presencia escultural de los seres va a producir una serie de verdaderas esculturas pintadas, con las órbitas

Las meninas *(Isabel de Velasco). Oleo sobre lienzo. Cannes, 1957. (33 × 24 cm). M.P.B.*

Espectadores. *Litografía. 1961. (29,5 × 10,5 cm). M.P.B.*

vacías, serie que va desde *Torso rosa* o el *Desnudo de la cabellera,* hasta el espléndido *Desnudo con velo,* en escorzo, de la colección Samuel Marx».

Esta preocupación por la aprehensión y fijación pictórica de la dimensión de los volúmenes está igualmente presente en el cuadro titulada *Les demoiselles d'Avignon* y, obviamente, en toda su producción cubista, tanto la del período analítico como la del período sintético. «De hecho —afirma Roland Penrose—, consiguió con el cubismo unir ambas artes —escultura y pintura— en unas bodas metafísicas».

El amplio ciclo de la obra escultórica picassiana —que se extiende aproximadamente desde 1902, fecha de su primera escultura que se encuentra en el Museo Picassó de Barcelona, hasta la década de los sesenta, si bien entre 1909 y 1930 apenas produjo esculturas— constituye una admirable lección plástica que pone de relieve que Picasso consideraba las artes como algo unitario. «Aunque esta dualidad del pintor y el escultor —dice Penrose— no sea mayor que la que contrapone la mano derecha a la izquierda, Picasso ha creado en su obra personajes a los que pronto se han visto asociados aspectos de él mismo. Es razonable, pues, juzgar que, examinando a esos personajes, se tiene la oportunidad de esclarecer en cierta medida los dos aspectos de su personalidad». Hay personajes, como el del Arlequín, que son representados por Picasso pictórica y también esculturalmente. El cuadro titulado *Pablo, vestido de Arlequín,* retrato de su hijo pintado en 1924, y *Cabeza de Arlequín,* bronce esculpido en 1905, pueden servir de ejemplo.

Aunque sea autor de frases felices que valen por todo un tratado de estética, Picasso no ha necesitado recurrir a la literatura para explicar su obra plástica. Su lenguaje como artista tiene tal riqueza expresiva que, cuando Picasso quiso aclarar algo en el campo de la plástica, lo hizo utilizando imágenes. Sus esculturas vienen a ser, en no pocos casos, figuras y formas na-

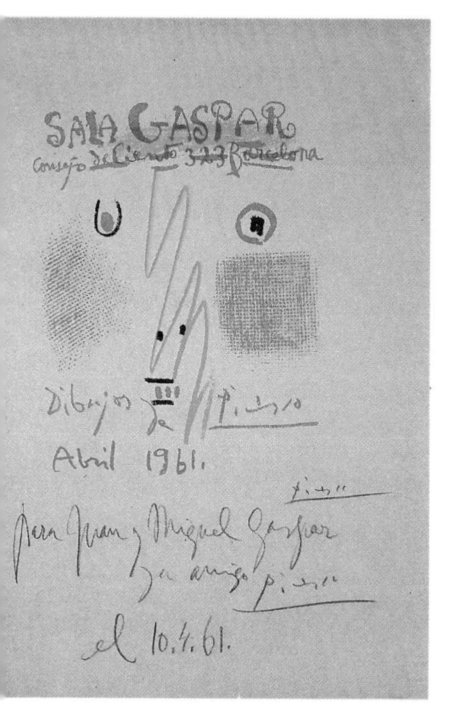

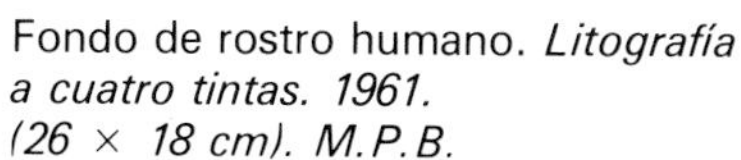

Fondo de rostro humano. *Litografía a cuatro tintas. 1961. (26 × 18 cm). M.P.B.*

Dibujos de Picasso. *Litografía. Sala Gaspar, Barcelona, 1961 (71 × 55,5 cm). M.P.B.*

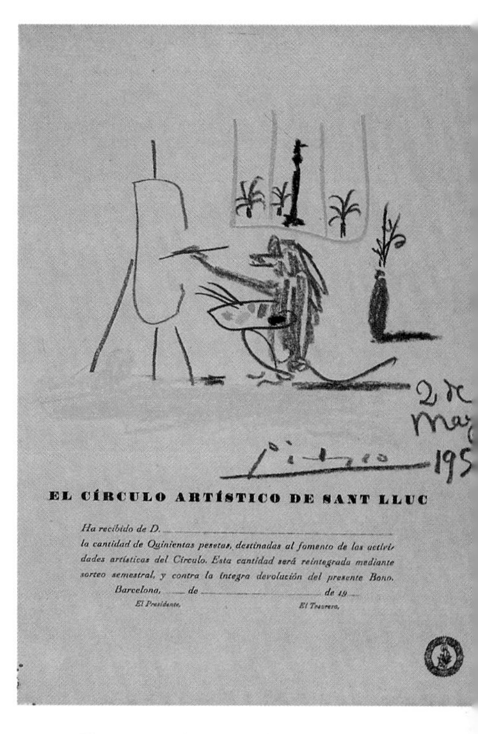

El mono pintor. *Lápices de colores sobre papel. Mougins, 1959. (37 × 29 cm). M.P.B.*

cidas antes en el lienzo o en el papel. La obra esculpida por el genial pintor completa —explica— en ocasiones lo que el artista ha dibujado o pintado anteriormente. Picasso se desnuda totalmente en sus esculturas. Se diría que tras haber trasladado a la tela o al papel determinados personajes, el pintor siente la necesidad vital de dar corporeidad a las mismas; añora sus volúmenes, y es entonces cuando se pone a esculpir.

Lo mismo que cuando pinta o cuando trabaja la pasta de cerámica, Picasso se entrega en cuerpo y alma a la escultura cuando esculpe. «El escultor —escribe Penrose— quedará tan totalmente absorbido en la contemplación de su obra que, pronto, sólo el sentido del tacto le permitirá todavía una especie de contacto con su musa. Sus ojos, que ya no ven, en adelante estarán elevados en su obra y sus dedos tienen un gesto que nos recuerda el de cierta obra del período azul, *La comida del ciego,* donde la ceguera halla consuelo en el hecho de que las manos pueden tocar y acariciar los objetos que están delante».

Picasso utilizó como escultor los más diversos materiales —bronce, hierro, yeso—, coloreando a veces determinadas esculturas —*El vaso de absenta,* bronce pintado en 1914, perteneciente al Museum of Art de Filadelfia—, recubriéndolas otras de arena o pintando la plancha, como hizo en *Mujer de pie* (1961). Gran parte de las esculturas picassianas estuvieron

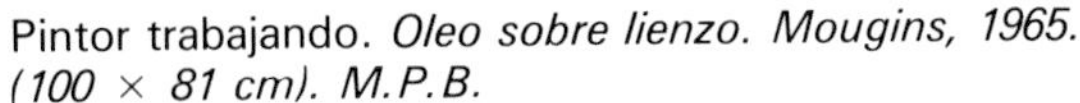

Pintor trabajando. *Oleo sobre lienzo. Mougins, 1965. (100 × 81 cm). M.P.B.*

Busto de mujer con sombrero. *Linóleum. 1962. (63,5 × 52,5 cm). M.P.B.*

desde 1959 instaladas a la entrada del castillo de Vauvenargues y fueron posteriormente reunidas en el taller que el pintor tuvo en Mougins. «Algunas —dice Roland Penrose— están dispuestas sobre soportes móviles, otras aparecen bajo la poderosa luz de las lámparas de arco. Cubriendo el suelo de ese vasto espacio cavernoso, están dispuestas a recibir, en todo momento, los más atentos cuidados del maestro. Entre ellas se perfilan, como blancos fantasmas, dos reproducciones en yeso de los *Esclavos* de Miguel Angel, que parecen querer desprenderse de sus ligaduras para unirse al libre grupo que los circunda».

Entre las esculturas más conocidas de Picasso, figuran *El vaso de absenta* —obra en bronce del año 1914 existente en el Museum of Art de Filadelfia—, *El hombre del cordero* —de 1944, instalada en la Plaza de Vallauris—, *La lechuza, La cabra* —bronces de 1950—, *La grulla* —bronce pintado de 1951— y *Cabeza de cabra y botella* —1951-1952—, bronce propiedad del Museum of Modern Art de Nueva York—.

PICASSO Y EL ARTE DEL SIGLO XX

La ruptura con el convencionalismo representativo de la pintura —el dictado de la copia del natural que se había impuesto durante siglos— se había ido gestando a lo largo del siglo XIX, desde el Goya de las «pinturas negras» a los impresionistas y los expresionistas, principalmente. En realidad, Picasso no hizo más —ni menos— que darle la puntilla a una estética for-

Hombre barbudo. *Linóleum, 1962. (35 × 27 cm). M.P.B.* ▷

Monumento a Picasso en Málaga.

Mujer sentada. *Escultura en bronce. Barcelona, 1902.* *(15 × 11,5 × 8,5 cm). M.P.B.*

malmente caduca y creacionalmente obsoleta, impotente.

Desde que apareció la fotografía, la pintura como representación del natural estaba condenada a muerte. La pintura ya no podía desarrollarse dentro de las mismas coordenadas que en los siglos anteriores. Había que pintar de otra forma. Es lo que hizo Picasso, que rechazó tanto la reproducción fotográfica como la búsqueda sistemática que conduce a la abstracción artística, siguiendo un nuevo camino plástico: el del «monólogo interior», que liberaba de ataduras arcaicas la expresión creadora. El artista lo deja bien claro —y con palabras, lo mismo que lo «hace» con obras —al afirmar: «La idea de "buscar" ha hecho que el arte de la pintura caiga con frecuencia en la abstracción. Este ha sido, tal vez, el mayor error del arte moderno. El espíritu de búsqueda ha envenenado a quienes, sin comprender todos los aspectos del arte moderno, quieren pintar lo invisible y no lo pictórico. La obra expresa en muchos casos más que lo que deseaba el autor, quien a menudo se asombra ante los resultados que él no había previsto. El nacimiento de una obra es, a veces, una modalidad de generación espontánea. Ora el dibujo hace surgir el objeto, ora el color sugiere unas formas que determina el tema». Por eso decía una gran verdad —tomada gratuitamente por *boutade* —cuando afirmaba que él pintaba lo que encontraba y no lo que buscaba y que en arte no existen formas concretas ni abstractas, sino sólo interpretaciones.

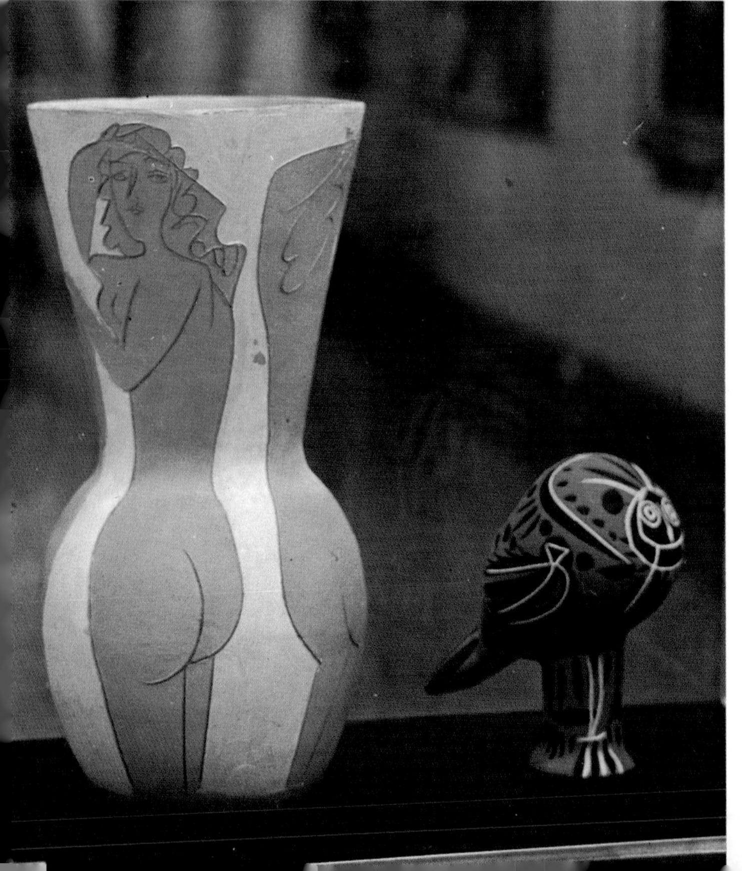

Piezas de cerámica conservadas en el Museo Chéret, en Niza.

DENUNCIA PICASSIANA DE LOS HORRORES DE LA GUERRA

Ante las atrocidades cometidas primero en la guerra civil de España y, a renglón seguido, en la Segunda Guerra Mundial, Picasso siente estremecerse todas las fibras de su ser y reacciona condenando duramente la violencia y la arbitrariedad.
En 1937, en plena guerra civil española, Picasso, en un Mensaje dirigido a un Congreso de artistas republicanos americanos, expuso claramente su postura ante el conflicto: «Siempre he creído, y lo sigo creyendo todavía, que los artistas que viven y trabajan según los valores espirituales no pueden, ni deben, permanecer indiferentes al conflicto en que están en juego los más altos valores de la humanidad y de la civilización». El pintor toma partido por la causa republicana. Rafael Alberti escribió un bello poema sobre la actitud picassiana durante los años de la guerra civil española:

La guerra: la española
¿Cuál será la arrancada
del toro que le parte en la cruz una pica?
Banderillas de fuego.
Una ola, otra ola desollada.
Guernica.
Dolor al rojo vivo.
...Y aquí el juego del arte comienza a ser un juego ex-
[plosivo.

Pablo Picasso siente hervir en la sangre su temperamento netamente español cuando se producen los luctuosos acontecimientos que ensangrentarían España desde 1936 a 1939. España es martirizada y el pintor, lejos de sentirse ajeno a la tragedia o contemplar su desarrollo de forma egoísta, la vive plena-

El hombre del cordero *(escultura en bronce instalada en la Plaza de Vallauris). 1944.*

mente en su interior y proyecta sus sentimientos en su obra plástica. El cree que la razón está del lado de la República y accede a colaborar con el Gobierno republicano, por cuyo encargo pintará el famoso cuadro titulado *Guernica.*

Posteriormente se solidarizará también con las naciones enfrentadas a la Alemania hitleriana y condenará la agresión nazi-fascista. Durante la ocupación de Francia por las tropas hitlerianas, Picasso fue denunciado a los nazis por el pintor Vlaminck. Se le echó en cara que fuese un degenerado cosmopolita y llegó a sospecharse que era de origen judío. Al ser preguntado si tenía sangre judía, respondió que no, agregando valientemente que le hubiese gustado tenerla.

Parece ser que, cuando vivía en el París ocupado por los nazis, el embajador alemán Abetz fue a visitarle y a interesarse por su situación. Tras contemplar con desagrado el *Guernica* en el taller de Picasso, el embajador nazi le preguntó al autor del célebre cuadro:

«—¿Usted ha hecho eso?»

Se dice que Picasso le respondió fríamente:

«—No, señor: esto lo han hecho ustedes».

El poeta Paul Eluard afirmó que Pablo Picasso había sido uno de los pocos artistas que se había comportado con absoluta dignidad durante la ocupación de Francia por los alemanes. Ya antes, en 1939, el extraordinario poeta surrealista, con quien Picasso mantuvo una entrañable amistad, escribió en su obra *Donner à voir* este elogioso comentario: «Entre los hombres que mejor han experimentado su vida y de los cuales no se podrá decir que han pasado por la tierra sin pensar en seguida que permanecen en ella, Pablo Picasso se sitúa entre los más grandes. Tras haber conquistado el mundo, tuvo el valor de rebelarse contra sí mismo».

También las guerras de Corea y del Vietnam del Norte, con su secuela de horrores, hirieron la sensibilidad

Guernica. París, 1937. (351 × 782 cm). Casón del Buen Retiro Madrid.

de Picasso y conturbaron su espíritu, impulsando al pintor a plasmar plásticamente su denuncia y condena de las atrocidades e injusticias cometidas en el desarrollo de los dos conflictos.

La decidida postura antibelicista del gran pintor y su profundo amor a la paz le inspiraron obras como el *Guernica, Carnicería* —lienzo en 1946 presentado en el Museo de Arte Moderno de París, en el certamen Arte y Resistencia, como un homenaje «A los españoles muertos por Francia»— o *Matanza en Corea,* entre otras, en las que está siempre patente la denuncia de los horrores de la guerra. Como contrapartida, la paloma picassiana —motivo plástico que atraía ya al Picasso aún niño que daba sus primeros pasos artísticos en La Coruña— se ha convertido en un símbolo universal de la Paz.

El *Guernica* es, sin duda alguna, el cuadro más patético de todos los pintados por Picasso como rechazo de la guerra y la violencia con su secuela de horrores. Es también el más famoso y está considerado como su obra maestra. A este respecto habría que precisar que son varias las obras maestras de Picasso. Aparte del motivo concreto inspirador del *Guernica* —el bombardeo y destrucción de la población vasca, cuyo nombre da título a la obra, llevado a cabo por la aviación nazi el 26 de abril de 1937—, el cuadro se ha convertido en un símbolo universal de la violencia y la barbarie desencadenadas por las guerras. Viene a ser un emocionado y emocionante grito de libertad y, al mismo tiempo, como dijo William Boeck, «una pavorosa acusación de la violencia cuya "última ratio" es la destrucción».

Se trata de una obra de grandes dimensiones —351 × 782,5 cm—, pintado al temple sobre tela. Los tonos grises, blancos y desvaídos verdes contribuyen a reflejar plásticamente en el lienzo una atmósfera alucinante, de insuperable dramatismo. Un viento de violencia integral parece arrasar la tela en todos los sentidos. Un toro contempla desde un extremo, como sorprendido o acaso dispuesto a embestir, la destrucción —radical, sin fronteras— que reina frente a él, mientras, en el centro, un caballo relincha de dolor, mostrando los dientes, no se sabe si de rabia o de pena. Por el suelo, figuras humanas en patéticas posturas, desgarradas por el sufrimiento y el terror. Al otro lado del toro, una cabeza masculina parece gozarse con el dantesco espectáculo.

El simbolismo de esta gran obra picassiana ha sido interpretado de muy diversas formas. Para el poeta Juan Larrea, el cuadro tiene un claro contenido político, según el cual el toro sería el pueblo español protegiendo a una mujer y a un niño, en tanto que una figura de ave representaría el espíritu y el portalámparas que surge de la ventana, la República española. Larrea, que escribió un magnífico libro sobre el *Guernica,* le preguntó a Picasso si era cierto que el caballo que aparece en el cuadro representaba alegóricamente el franquismo y el pintor contestó afirmativamente. En otra ocasión volvió a hacerle la misma pregunta y el autor del cuadro le respondió:

«—Hay que estar ciego (o ser tonto o crítico de arte, etc...) para no verlo».

Larrea añadió:

«—¿Cómo, pues, dejó usted afirmar en una interviú que el caballo representa el pueblo?»

A lo que repuso Picasso:

«—¿Para qué llevar la contraria a nadie? Al pueblo falangista. ¿No estaba con Franco una parte del pueblo?»

Según Jerome Seckler, el pintor había dicho en 1945 que el toro podía ser tomado como la representación de la brutalidad y la oscuridad, en tanto que el caballo podría representar el pueblo. Sin embargo, en 1947, en unas declaraciones hechas por Picasso al marchante Kahnweiler, declaraba que «el toro es un toro y el caballo es un caballo».

Russell, autor de uno de los últimos libros publicados sobre Picasso, dice que el *Guernica,* como todas las grandes obras de arte, admite diversas y aun contrapuestas interpretaciones. Para Russell los temas de las corridas de toros —a los que tan aficionado era el pintor malagueño— podrían explicar no pocos de los enigmas que plantea la interpretación del simbolismo del famoso cuadro. Apunta asimismo como una posible clave interpretativa el tema de la crucifixión, que tiene de común con la corrida taurina el sufrimiento, la befa y la final inmolación de una víctima inocente. El propio Picasso dijo en cierta ocasión con su característica lucidez: «Sería muy curioso conservar fotográficamente no las etapas de un cuadro, sino su metamorfosis. Tal vez se percibiría la senda por donde el cerebro se dirige hacia la materialización de su sueño». Sólo de esta forma sería factible interpretar con la corrección posible una obra tan compleja y rica en sugerencias.

El Gobierno español, tras un largo proceso negociador con la dirección del Museo de Arte Moderno de Nueva York —donde estuvo conservado en depósito el cuadro durante largos años— y con los herederos de Picasso —algunos de los cuales se oponían a que la obra fuese entregada a España—, logró recuperar el *Guernica* —que le había sido encargado a su autor por el Gobierno republicano, siendo Josep Renau director general de Bellas Artes— y la valiosa tela se exhibe desde octubre de 1981 en el Casón del Buen Retiro de Madrid, aunque formando parte del fondo del Museo del Prado.

Obras picassianas inspiradas en la condena de los horrores de la guerra son, aparte del *Guernica, La carnicería* —propiedad de Walter P. Chrysler, Nueva York—, pintado en 1945, que refleja las atrocidades cometidas en los campos de concentración nazis; *La guerra* —que en 1971 pertenecía al propio Picasso—, cuadro pintado al óleo sobre masonita en 1952, instalado al igual que el titulado *La paz,* en una antigua capilla de Vallauris que el artista adquirió y bautizó con el nombre de «Templo de la Paz»; y *Matanza en Corea,* óleo sobre madera, fechado en 1951, en la que un grupo de mujeres y niños desnudos se dispone a morir ante los guerreros situados enfrente.

Indice

AGRADECIMIENTOS:

Los editores dan las gracias a la Dirección del Museo Picasso de Barcelona y a los Departamentos de Fotografía y de Documentación de este mismo Museo, por la valiosa ayuda prestada para la realización de este libro.

Colección TODO EUROPA

		Español	Francés	Inglés	Alemán	Italiano	Catalán	Holandés	Sueco	Portugués	Japonés	Finlandés
1	ANDORRA	•	•	•	•	•	•					
2	LISBOA	•	•	•	•	•				•		
3	LONDRES	•	•	•	•	•					•	
4	BRUJAS	•	•	•	•	•		•				
5	PARIS	•	•	•	•	•					•	
6	MONACO	•	•	•	•	•						
7	VIENA	•	•	•	•	•						
11	VERDUN	•	•	•	•			•				
12	LA TORRE DE LONDRES	•	•	•	•							
13	AMBERES	•	•	•	•	•		•				
14	LA ABADIA DE WESTMINSTER	•	•	•	•	•						
15	ESCUELA ESPAÑOLA DE EQUITACION DE VIENA	•	•	•	•	•						
16	FATIMA	•	•	•	•	•				•		
17	CASTILLO DE WINDSOR	•	•	•	•	•					•	
19	LA COSTA AZUL	•	•	•	•	•						
22	BRUSELAS	•	•	•	•	•		•				
23	PALACIO DE SCHÖNBRUNN	•	•	•	•	•		•				
24	RUTA DEL VINO DE OPORTO	•	•	•	•	•				•		
26	PALACIO DE HOFBURG	•	•	•	•	•						
27	ALSACIA	•	•	•	•	•		•				
31	MALTA			•	•	•						
32	PERPIÑAN		•									
33	ESTRASBURGO	•	•	•	•	•						
35	LA CERDANYA - CAPCIR		•				•					
36	BERLIN	•	•	•	•	•	•					

Colección ARTE EN ESPAÑA

		Español	Francés	Inglés	Alemán	Italiano	Catalán	Holandés	Sueco	Portugués	Japonés	Finlandés
1	PALAU DE LA MUSICA CATALANA	•		•			•					
2	GAUDI	•	•	•	•	•					•	
3	MUSEO DEL PRADO I (Pintura Española)	•	•	•	•	•					•	
4	MUSEO DEL PRADO II (Pintura Extranjera)	•	•	•	•	•						
5	MONASTERIO DE GUADALUPE	•										
6	CASTILLO DE XAVIER	•	•	•	•						•	
7	MUSEO DE BELLAS ARTES DE SEVILLA	•	•	•	•	•						
8	CASTILLOS DE ESPAÑA	•	•	•	•							
9	CATEDRALES DE ESPAÑA	•	•	•	•							
10	CATEDRAL DE GERONA	•	•	•	•							
14	PICASSO	•	•	•	•	•					•	
15	REALES ALCAZARES DE SEVILLA	•	•	•	•	•						
16	PALACIO REAL DE MADRID	•	•	•	•	•						
17	REAL MONASTERIO DE EL ESCORIAL	•	•	•	•	•						
18	VINOS DE CATALUÑA	•										
19	LA ALHAMBRA Y EL GENERALIFE	•	•	•	•	•						
20	GRANADA Y LA ALHAMBRA	•										
21	REAL SITIO DE ARANJUEZ	•	•	•	•	•						
22	REAL SITIO DE EL PARDO	•	•	•	•	•						
23	CASAS REALES	•	•	•	•	•						
24	PALACIO REAL DE SAN ILDEFONSO	•	•	•	•	•						
25	SANTA CRUZ DEL VALLE DE LOS CAIDOS	•	•	•	•	•						
26	EL PILAR DE ZARAGOZA	•	•	•		•						
27	TEMPLO DE LA SAGRADA FAMILIA	•	•	•	•	•	•					
28	ABADIA DE POBLET	•	•	•	•		•					

Colección TODO ESPAÑA

		Español	Francés	Inglés	Alemán	Italiano	Catalán	Holandés	Sueco	Portugués	Japonés	Finlandés
1	TODO MADRID	•	•	•	•	•					•	
2	TODO BARCELONA	•	•	•	•	•	•					
3	TODO SEVILLA	•	•	•	•	•					•	
4	TODO MALLORCA	•	•	•	•	•						
5	TODO LA COSTA BRAVA	•	•	•	•	•						
6	TODO MALAGA y su Costa del Sol	•	•	•	•	•		•				
7	TODO CANARIAS (Gran Canaria)	•	•	•	•	•		•	•			
8	TODO CORDOBA	•	•	•	•	•					•	
9	TODO GRANADA	•	•	•	•	•		•			•	
10	TODO VALENCIA	•	•	•	•	•						
11	TODO TOLEDO	•	•	•	•	•					•	
12	TODO SANTIAGO	•	•	•	•	•						
13	TODO IBIZA y Formentera	•	•	•	•	•						
14	TODO CADIZ y su Costa de la Luz	•	•	•	•	•						
15	TODO MONTSERRAT	•	•	•	•	•	•					
16	TODO SANTANDER y Cantabria	•		•								
17	TODO CANARIAS (Tenerife)	•	•	•	•	•		•	•			•
20	TODO BURGOS	•	•	•	•	•						
21	TODO ALICANTE y Costa Blanca	•	•	•	•	•		•				
22	TODO NAVARRA	•	•	•	•							
23	TODO LERIDA	•	•	•	•		•					
24	TODO SEGOVIA	•	•	•	•	•						
25	TODO ZARAGOZA	•	•	•	•	•						
26	TODO SALAMANCA	•	•	•	•	•				•		
27	TODO AVILA	•	•	•	•	•						
28	TODO MENORCA	•	•	•	•	•						
29	TODO SAN SEBASTIAN y Guipúzcoa	•										
30	TODO ASTURIAS	•		•								
31	TODO LA CORUÑA y Rías Altas	•	•	•	•							
32	TODO TARRAGONA	•	•	•	•	•						
33	TODO MURCIA	•	•	•	•							
34	TODO VALLADOLID	•	•	•	•							
35	TODO GIRONA	•	•	•	•							
36	TODO HUESCA	•	•									
37	TODO JAEN	•	•	•	•							
38	TODO ALMERIA	•	•	•	•							
40	TODO CUENCA	•	•	•	•							
41	TODO LEON	•	•	•	•							
42	TODO PONTEVEDRA, VIGO y Rías Bajas	•	•	•	•							
43	TODO RONDA	•	•	•	•	•						
44	TODO SORIA	•										
46	TODO EXTREMADURA	•										
47	TODO ANDALUCIA	•	•	•	•	•						
52	TODO MORELLA	•	•		•		•					

Colección TODO AMERICA

		Español	Francés	Inglés	Alemán	Italiano	Catalán	Holandés	Sueco	Portugués	Japonés	Finlandés
1	PUERTO RICO	•		•								
2	SANTO DOMINGO	•		•								
3	QUEBEC		•	•								
4	COSTA RICA	•		•								

Colección TODO AFRICA

		Español	Francés	Inglés	Alemán	Italiano	Catalán	Holandés	Sueco	Portugués	Japonés	Finlandés
1	MARRUECOS	•	•	•	•	•						
2	EL SUR DE MARRUECOS	•	•	•	•	•						
3	TUNICIA		•	•	•	•						
4	RWANDA		•									

Este libro se ha impreso en los talleres
FISA - ESCUDO DE ORO, S.A.
Palaudarias, 26 - Barcelona (España)